D1398581

HYPERSENSIBLES

Trop sensibles pour être heureux ?

Paru dans Le Livre de Poche :

LES AMOURS IMPOSSIBLES

RENAÎTRE APRÈS UN TRAUMATISME

LE SENTIMENT D'ABANDON

SAVERIO TOMASELLA

HYPERSENSIBLES

TROP SENSIBLES
POUR ÊTRE HEUREUX ?

EYROLLES

Avec la collaboration de Cécile Potel

À Matthieu

À la mémoire de Muriel Chaney

J'exprime toute ma reconnaissance à Danièle Ajoret et à Jean-Laurent Cochet.

Ma gratitude va également à Marie-Josèphe Jude, qui a participé à ma réflexion en y apportant son expérience et de précieux éclairages.

Je remercie Barbara-Ann Hubert et Dominique-France Tayebaly pour leur amitié, nos recherches et nos échanges, ainsi que pour leur écoute, leur délicatesse et leur sensibilité.

Je remercie toutes les personnes qui ont contribué à cet essai en acceptant de témoigner de façon intime et personnelle.

*« Les dieux donnent tout aux êtres qu'ils privilégient :
les joies infiniment, les souffrances infiniment. »*

J. W. Goethe

AVANT-PROPOS

« Regarder la vie en face,
toujours regarder la vie en face,
et la connaître, pour ce qu'elle est,
enfin la reconnaître et l'aimer
pour ce qu'elle est. »

V. Woolf

La sensibilité est l'essence même de la vie ; elle est le propre de l'humain.

Un jour, un patient journaliste, parlant d'un film sur lequel il s'apprêtait à rédiger une critique, lança sans ambages à propos de l'héroïne de l'histoire, une jeune femme très sensible : « elle est "maniaco-dépressive" » ! Surpris, je lui demandai pourquoi il employait ce terme. Il me répondit que « cela faisait bien ». Encore plus étonné, je l'interrogeai pour comprendre ce qu'il entendait par là. Il m'avoua qu'il ne connaissait pas le sens de ce terme. Je lui proposai alors de me dire tout simplement quels mots il emploierait pour exprimer ce qu'il avait perçu de cette jeune femme. Il se détendit, son visage s'éclaira et il dit : « elle était perdue ». Il put alors constater que cette formulation était beaucoup plus vraie, plus juste, plus personnelle et qu'elle serait aussi plus facile à comprendre pour les lecteurs de son article...

Ainsi va le monde. Chaque époque a sa morale commune, plus ou moins partagée et suivie, imposant une orientation générale aux accusations et aux jugements proférés contre ceux qui dérangent l'ordre établi. Après avoir été fondée sur les préceptes religieux, puis sur les idéologies politiques, la morale est aujourd'hui définie de façon tout aussi réductrice à partir des théories « psy » : psychanalyse et psychopathologie principalement, mais pas seulement. Cette psychologisation à outrance des idées contemporaines et des comportements qui en découlent devient la source fréquente de violences à l'égard d'autrui et d'un totalitarisme insidieux s'exerçant sur la pensée.

Comment pouvons-nous répondre humainement à cet envahissement ? Simplement en retrouvant notre sensibilité personnelle et notre sincérité.

Depuis de nombreuses années, j'écoute les musiciens, les cinéastes, les comédiens, les danseurs, les peintres, les sculpteurs, les poètes et les romanciers. Chaque fois, je me rends compte que les artistes parlent des êtres humains avec des mots simples, plus précisément que beaucoup de « psychistes[1] », qui ont un vocabulaire

---

1. Ce terme désigne les psychanalystes, psychiatres, psychologues. S. Freud, dès 1907 dans son ouvrage *Le délire et les rêves dans la Gradiva de W. Jensen*, a affirmé très clairement la même chose quant à la capacité des artistes à exprimer l'âme humaine mieux que ne le font les psychistes. Pour s'en convaincre, il suffit par exemple de

spécialisé devenu langue morte. Je me suis interrogé sur ce fossé difficile à franchir. J'ai constaté que les termes techniques, prétendument « scientifiques », pouvaient être ou paraître blessants et qu'ils n'apportaient pas de compréhension plus profonde ou plus claire de ce que nous vivons au jour le jour. J'ai remarqué aussi qu'ils embrouillaient habituellement l'esprit en imposant des notions éloignées de la réalité, parce que trop abstraites et trop intellectuelles. Ce constat m'a poussé à être plus attentif aux nuances et aux variations des paroles d'artistes sur la vie et sur l'humain, pour tenter de mieux cerner les multiples expériences sensibles que nous vivons au quotidien.

Cela n'empêche pas une telle démarche d'être scientifique, c'est-à-dire de s'appuyer sur l'observation patiente, méthodique et raisonnée des faits : des événements et des situations, placés dans leur contexte précis et suivis en fonction de leurs interactions, de leurs évolutions spécifiques. Ce n'est pas l'utilisation d'un vocabulaire technique qui garantit le caractère scientifique d'une recherche, mais la rigueur de la méthode employée, ici fondée sur l'expérience humaine, sur la façon dont chaque personne vit sa propre sensibilité et devient capable de l'exprimer précisément, en partant du plus profond, du plus intime de soi.

En quoi cela correspond-il authentiquement au processus lent et patient d'une psychanalyse ?

---

relire *Hamlet* de W. Shakespeare (1603), *Ruy Blas* de V. Hugo (1838), ou *Pierre et Jean* de G. de Maupassant (1888). Ces œuvres, et tant d'autres, sont d'une grande profondeur. Elles expriment toutes les complexités de l'âme humaine et ont été créées bien avant la naissance de la psychanalyse.

« *Comme Freud l'a suggéré, la fonction du psychanalyste est proche de celle du juge d'instruction. Il doit nommer les choses par leur nom. La justice, c'est d'abord la justesse des mots qui nomment les faits. La loi à laquelle nous autres, psychanalystes, devons obéir est la loi du langage : un vol est un vol, un viol est un viol, un inceste est un inceste, un détournement est un mensonge. Il nous faut appeler les choses par leur nom*[1]. »

Au fond, quel est le but de cette démarche ? Il s'agit simplement de *désigner le réel*, c'est-à-dire de le « réaliser », d'en prendre conscience, de le nommer au plus juste : de faire du réel non une croyance ou une idée, encore moins une théorie ou une idéologie, mais une réalité sensible et personnelle, une expérience de vie...

1. P. Delaunay, *Les quatre transferts*, FAP, 2011, pp. 341-342.

Introduction

« *Nous sentions que tu étais relié à des mondes qui nous étaient inaccessibles.* »

A. Appelfeld

Les êtres humains, certains plus que d'autres, seraient-ils trop sensibles pour être heureux ?

Un garçon de treize ans, joyeux, sportif, très sociable, particulièrement proche de la nature et de la mer, aimant la vie et débordant de vitalité, confie un soir à sa mère en pleurant à chaudes larmes après avoir regardé un film qui l'a bouleversé : « Je suis trop sensible pour vivre dans ce monde. » Cri du cœur que sa mère a accueilli et entendu ; paroles très fortes qui leur ont permis d'avoir une discussion profonde et de resserrer leur lien une nouvelle fois, de fortifier la confiance entre eux.

Dans une toute autre situation, un jeune homme a terminé brillamment ses études. Il discute avec sa mère et sa fiancée. Lorsqu'il émet une idée différente de celle de sa mère en exprimant ce qu'il ressent, sa mère brise brutalement son élan en lui assénant : « De toute façon, tu as toujours été hypersensible ! » Les deux femmes rient sans retenue et se moquent de lui. Le jeune homme se tait, cloué sur place par l'étiquette dévalorisante dont il vient d'être affublé devant sa fiancée.

Dans un contexte encore différent, des professeurs d'université discutent de candidatures pour un poste vacant. Au moment du choix final, le candidat qui aurait pu être légitimement choisi du fait de ses capacités et de ses compétences est écarté tout aussi froidement que violemment par un membre du jury sous prétexte qu'il est « trop sensible »...

Au journaliste Christophe Bourseiller qui lui disait qu'elle semblait « en permanence sur la corde raide », la cantatrice Natalie Dessay se confiait sur sa sensibilité et sa « très grande fragilité ». Pour elle, ce ne sont « pas seulement les artistes qui sont très fragiles, ni même les comédiens qui vont jusqu'au bout de leurs personnages », mais « toutes les personnes qui s'impliquent dans ce qu'elles vivent et dans ce qu'elles font[1] ».

Très sensible ? Trop sensible ? Hypersensible ? Comment s'y retrouver ? Comment caractériser la sensibilité, en quantité autant qu'en qualité ? Beaucoup se sentent concernés par ces questions. Certaines personnes en arrivent même à se sentir inadaptées et souffrent de leur grande sensibilité...

En effet, il arrive que nous nous disions : « c'en est trop » ! Parfois, nous n'en pouvons plus. Nous n'y arrivons plus. Nous nous sentons débordés, saturés ou submergés. Nous ne supportons plus ce que nous vivons... Quelquefois, nous percevons des réalités qui échappent à notre entourage. Nos proches sont alors étonnés, incrédules, voire réprobateurs, et nous en sommes décontenancés. Nous pouvons même en arriver à nous sentir à part ou mis à l'écart... D'autres fois, nous trouvons que

---

1. « La Matinale », France Musique, le 30 novembre 2011.

certaines personnes exagèrent, en font trop, insistent ou s'acharnent. Dans ces trois types de situations, nous sommes face à des phénomènes d'*hypersensibilité*. Que veut dire ce mot ? À quelles réalités correspond-il exactement ? Comment notre sensibilité peut-elle devenir si grande, si forte ? Comment mieux vivre avec cette sensibilité, sans la brider ou la refréner, mais en l'apprivoisant ?

Quel serait le passage de la sensibilité à l'hypersensibilité ? Une réelle frontière existe-t-elle ? Si oui, comment la préciser ? S'agit-il seulement d'une perception plus fine, plus aiguë, plus forte de la réalité ? De ressentis plus vigoureux ? La question de l'hypersensibilité ne nous mène-t-elle pas beaucoup plus loin ? Vers ce qui serait acceptable, voire valeureux, et ce qui ne le serait pas ? Certains y voient une acuité perceptive hors du commun. D'autres, au contraire, donnent à ce terme une connotation négative, celle d'un « handicap », surtout pour entrer en relation avec autrui. Ils la rejettent alors comme un défaut, voire comme une tare spécifiquement « féminine » ! D'autres encore parlent de « fébrilité » psychique, comme si tous les capteurs étaient tout le temps en éveil. D'autres, enfin, relient l'hypersensibilité à l'intuition ainsi qu'à l'intelligence, n'hésitant pas à en faire le signe d'un don exceptionnel qui les distinguerait de la masse... Il sera alors nécessaire de donner quelques repères sur ce qu'est ou n'est pas la sensibilité, avant de préciser quelles sont les manifestations d'une sensibilité très vive. Nous chercherons ensuite quelles peuvent être ses nombreuses origines. Nous nous pencherons enfin sur les possibilités tout aussi nombreuses qui existent pour bien vivre avec sa sensibilité, même lorsqu'elle peut paraître « excessive » aux yeux des autres ou à ses propres yeux.

À chacune de ces étapes, pour illustrer chaque nouvelle découverte, nous nous appuierons sur des films et des romans, mais surtout sur les témoignages de femmes et d'hommes de tous âges, évoluant dans des contextes socioculturels très variés.

PREMIÈRE PARTIE

Les mille et une facettes de l'hypersensibilité

L'hypersensibilité concerne de nombreuses personnes et peut se traduire de différentes façons chez chacune d'elles, tant elle est liée à leur individualité et à leur histoire personnelle. Par ailleurs, l'hypersensibilité peut être aussi visible qu'invisible de l'extérieur. C'est pourquoi il est peu aisé d'en donner une définition précise : nous risquerions alors de catégoriser les individus et de réduire la palette d'émotions subtiles qui compose la sensibilité humaine, au lieu de donner l'aperçu de ses multiples facettes.

Néanmoins, il est possible de dégager quelques grands traits communs aux vécus découlant d'une sensibilité très vive, en écoutant et en observant les histoires individuelles. Ainsi, nous allons suivre pas à pas Betty, Camille, Lizzy, Marc, Elsa, Nadia, Djamel, Milena, Paulo, Éric, Yacine, Sonia, Aurélien, Yaël et Chloé[1] qui nous livreront leurs ressentis, nous aidant par là même à approcher la dimension hypersensible.

Au préalable, voyons ce qu'est la sensibilité, et ce qu'elle n'est pas.

---

1. Ces personnes dont les réflexions et les parcours sont présentés ici nous accompagnent tout au long du livre. Un index leur est consacré en fin d'ouvrage (page 217), pour mieux comprendre leurs problématiques respectives.

1

LA SENSIBILITÉ :
CE QU'ELLE EST,
CE QU'ELLE N'EST PAS

*« Je pouvais capter les nuances
de leur langue, guetter leurs expressions,
entendre le bruissement de leurs doutes. »*

A. Appelfeld

Au-delà des préjugés, une réalité complexe

De nombreuses fausses idées circulent sur les personnes
hypersensibles. Il est nécessaire de les préciser pour
commencer cette recherche, avant d'aller explorer plus
en profondeur la complexité de la réalité telle qu'il est
possible de l'observer et surtout telle qu'elle est vécue.
Une première erreur est d'attribuer une très grande
sensibilité à une sexuation (les femmes seraient plus
sensibles que les hommes) ou à un âge (les enfants et
les vieillards). Il existe des femmes insensibles et des
hommes très sensibles ; des enfants ou des vieillards
peu sensibles et des adultes particulièrement sensibles.
Il peut arriver de confondre une sensibilité vive avec
l'excentricité. Une personne excessive ou extravagante
peut ne pas être particulièrement sensible, mais choisir

de se montrer, de s'habiller ou de communiquer de façon théâtrale, provocante ou marquée. À l'inverse, les individus très sensibles ne sont pas forcément originaux, ils peuvent être conventionnels ou très réservés ; ils cherchent alors plutôt à ne pas se faire remarquer.

Certaines personnes hypersensibles peuvent être plutôt « introverties », timides, réservées, pudiques, alors que d'autres seront plutôt « extraverties », expansives, communicatives et bavardes.

Une personne très sensible ne sera pas obligatoirement nombriliste et, inversement, une personne égocentrique n'est pas forcément d'une forte sensibilité.

Enfin, la sensibilité n'est pas la sensiblerie, qui est une forme affectée, feinte et artificielle de sensibilité : il s'agit alors de faire croire à l'autre que l'on est touché ou ému, et d'en rajouter dans sa façon de le montrer. De même, la mièvrerie n'a rien à voir avec la sensibilité. Là encore, il s'agit d'une affectation maniérée de douceur prétendue et de fausse sensualité.

Qu'est-ce que la sensibilité ?

Le mot « sensible » apparaît au XIIIᵉ siècle pour distinguer l'âme sensible de l'âme raisonnable. Cette différence est plus un complément qu'une opposition, à tel point que « sensible » va longtemps exprimer « sensé ». C'est encore le sens de ce mot en anglais. Dès le XVIIᵉ siècle, « sensible » signifie « qui ressent une impression », puis « facilement ému », pour exprimer à partir du XVIIIᵉ siècle « qui a des sentiments humains ».

Aujourd'hui, le dictionnaire *Larousse* définit la sensibilité comme une aptitude (une capacité) et comme la manifestation de cette qualité : « Aptitude à réagir plus ou moins vivement à un événement ou une situation. Aptitude à s'émouvoir, à éprouver des sentiments d'humanité, de compassion, de tendresse pour autrui. Par exemple : un enfant d'une grande sensibilité ; un livre d'une grande sensibilité. »

L'hypersensibilité, quant à elle, est définie comme « une sensibilité extrême ou excessive »... Reste à comprendre ce que sous-entend « extrême » ou « excessive », qui sont des qualificatifs, des caractéristiques qui dépendent de critères personnels ou socioculturels, pouvant varier en fonction du contexte, d'une personne à l'autre, d'un groupe à l'autre, d'une époque à l'autre.

« Sensible » peut avoir pour synonymes *accessible*, *attentif*, *bon*, *compatissant*, *humain*, *réceptif*, *tendre*, ainsi que *délicat*, *fragile*, *vulnérable* ; alors que « hyper-sensible » a pour synonymes *douillet*, *émotif*, *impressionnable*, *à vif* ou *écorché vif*...

Pour la pianiste Marie-Josèphe Jude, la sensibilité est « la capacité à ressentir des émotions à des degrés plus ou moins forts, face à des événements extérieurs, des situations où la relation humaine est au centre, mais aussi face à des "non-événements", comme les paysages immuables ou les sons de la nature[1] ».

D'ailleurs, certaines personnes sont plus sensibles à ce qu'elles voient, d'autres à ce qu'elles entendent, touchent, goûtent ou sentent.

« Aussi loin que je me souvienne, j'ai toujours été plus sensible au son qu'au visuel ; le son de la voix de ma mère avait tant d'inflexions, je pouvais deviner

---

1. M.-J. Jude, communication personnelle.

l'humeur, l'angoisse, la joie juste en l'entendant m'appeler[1]. »

Voilà aussi pourquoi nous ne choisissons pas nos métiers, nos activités de loisirs et, même, nos amis par hasard. À moins d'être contrariés dans notre vocation, nous optons pour un travail en fonction de notre sensibilité et de nos dons personnels, de nos capacités particulières.

« Il est évident pour moi que les musiciens peuvent se trouver plus dans l'embarras avec la parole. Ce n'est pas facile de trouver les mots justes pour exprimer ses ressentis. Par exemple, il est parfois bien plus difficile de se mettre d'accord verbalement pour travailler une œuvre ensemble. Il est alors plus simple de la jouer : plus besoin de parler, chacun sait indiciblement où l'autre va aller pour interpréter une phrase musicale[2]... »

Un jardinier ou un ostéopathe auront souvent un sens du toucher très développé ; pour un danseur ce sera aussi le sens de l'équilibre. De même qu'un dessinateur, un peintre, un sculpteur ou un photographe développeront principalement leur vue. Il est possible d'affirmer que nous sommes plus sensibles que la moyenne dans certains domaines et, du coup, moins sensibles dans d'autres. L'exemple d'une personne aveugle est particulièrement convaincant : non voyante, elle accroît fortement son ouïe et son toucher, dans des proportions qui sortent de l'ordinaire.

Nous sommes donc plus sensibles que d'autres sur certains points et réciproquement. Toute sensibilité, même très vive, est relative. Il n'existe pas de critère absolu pour la mesurer.

---

1. *Id.*
2. *Id.*

Il en est de même pour l'hypersensibilité. Une sensibilité pourra paraître excessive ou extrême à l'un, et habituelle ou naturelle à l'autre. Les critères d'évaluation dépendent donc d'un certain nombre de facteurs très personnels :

- la souffrance et, notamment, ce qui semble supportable ou insupportable ;
- les convenances et les conventions du milieu familial ou social : ce qui se dit et se fait contre ce qui ne se dit pas, ne se fait pas, considéré comme ridicule, indécent ou choquant ;
- les coutumes, donc les habitudes : abattre un animal à la ferme ne trouble pas ceux qui y sont habitués et peut faire défaillir un nouveau venu qui n'a jamais vu mourir une bête[1].

Concrètement, l'hypersensibilité désigne le plus souvent soit une intense réceptivité, soit une forte émotivité, soit une grande expressivité. Nous verrons également, à travers de nombreux témoignages, à quel point elle est liée à la sympathie, à l'empathie et à la compassion. Enfin, elle est indissociable de l'intuition et d'une importante disposition à ressentir, puis exprimer, des sentiments. Après avoir accueilli et écouté de nombreux patients (femmes et hommes, adultes, adolescents et enfants), après les avoir vus évoluer au fil de longues années et, aussi, à partir de témoignages très variés extérieurs à

---

1. Je ne parle pas ici des convictions personnelles ou culturelles (hindouisme), éminemment respectables, concernant le choix de ne pas manger de viande par respect pour les animaux. Je ne parle pas non plus des médecins, militaires, policiers et pompiers, que le métier confronte régulièrement au réel de la mort humaine.

ma pratique, j'ai pu constater que l'hypersensibilité n'est pas forcément une caractéristique permanente chez un individu. Elle peut être activée à certains moments, notamment lors de passages difficiles (abandon, décès, exil, licenciement, maladie, rupture), certaines circonstances particulières (voyage à l'étranger, procès, mariage, divorce, concours) ou situations spécifiques (prise de parole en public, passage à la radio ou à la télévision, échéance importante, départ ou retour d'un proche), et bien évidemment du fait d'une fatigue persistante, de surmenage, de traitements médicamenteux, de conditions climatiques défavorables, de guerre et de catastrophes naturelles...

En effet, nous savons tous que nous sommes beaucoup moins patients et beaucoup plus irritables si nous ressentons une douleur vive (comme une rage de dents, par exemple), lors d'un bouleversement hormonal (cycle menstruel, premiers mois de grossesse ou ménopause, pour les femmes), du fait d'un changement radical (déménagement, naissance d'un enfant, départ d'un enfant devenu adulte), etc. Nous sommes plus *vulnérables* à certains moments de notre existence.

Par conséquent, toute forme d'hypersensibilité est aussi un terrain favorable au « stress » et à tous les malaises qui en découlent : troubles du sommeil, perte d'appétit (ou faim insatiable), déprime, anxiété, crises de panique, peurs diverses (d'être enfermé, de sortir, de faire ses courses, de passer dans une foule, de conduire, de prendre l'ascenseur, le train ou l'avion), etc.

Allons voir de plus près comment se traduit cette « hypersensibilité »...

2

IMPRESSIONS ET EXPRESSIONS

> *« Elle essaie d'écouter un vacarme intérieur,*
> *elle n'y parvient pas, elle est débordée*
> *par l'aboutissement, même inaccompli,*
> *de son désir. »*
>
> M. Duras

Les personnes d'une très grande sensibilité ne se ressemblent pas forcément. Elles ont entre elles peu de points communs et beaucoup de différences. Certaines sont très impressionnables, d'autres très expressives. Certaines sont particulièrement réservées ou timides, d'autres expansives et exubérantes. Elles sont capables de beaucoup d'enthousiasme et d'émerveillement, ce qui ne les empêche pas d'éprouver des doutes, des troubles et des tourments, voire de forts découragements. Certaines encore connaissent des variations d'humeur plus ou moins brutales, passent facilement du rire aux larmes ou changent facilement d'avis. D'autres enfin, malgré une stabilité apparente, vivent d'importantes fluctuations de la vision de soi et de l'estime de soi.

La sensibilité vraie est une réalité profonde qui est le propre de l'âme humaine. Très souvent, j'ai pu constater que l'hypersensibilité repose fondamentalement sur un phénomène d'*amplification* ou, pour le dire de façon plus imagée, de « caisse de résonance ». Les ressentis (sensations, émotions, sentiments) vécus dans telle situation sont nourris et agrandis à l'intérieur de la personne, comme par un écho interne qui enfle et s'auto-entretient, une auto-affectation supplémentaire, une coloration personnelle qui vient s'ajouter aux premières perceptions, pouvant aller jusqu'à engendrer un brouhaha intérieur entraînant de la confusion.

Les perceptions sont alors très aiguës et les ressentis particulièrement intenses. Du fait de cette vigueur des ressentis, il peut sembler difficile de les exprimer, de « mettre des mots dessus », c'est-à-dire de les discerner suffisamment clairement pour trouver les termes qui les expriment le mieux, pour être capable de les exprimer aux autres et d'expliquer ce qui se passe pour soi.

Ainsi, une très grande sensibilité ne relève pas plus de l'impression que de l'expression, elle affecte ces deux dimensions de la vie psychique de façon évidente : formidable puissance de l'impression et relative impuissance de l'expression. L'individu se trouve alors déstabilisé, fragilisé...

Décalés, incompris

Beaucoup de personnes qui se trouvent « hypersensibles » déclarent se sentir très fréquemment en décalage avec les autres. Ce qu'elles vivent comme une différence fondamentale leur semble parfois un obstacle insurmontable pour communiquer. Elles trouvent que leur sensibilité particulière les éloigne des autres. Dans bien des situations, elles souffrent de ne pas être comprises. Cette incompréhension peut même les pousser à se replier et à rester à l'écart.

Un homme d'une soixantaine d'années, très masculin, explique à son psychanalyste en quoi sa grande sensibilité peut le faire souffrir. « C'est comme en photographie, je suis une pellicule de 800 ou même de 1 400 ASA (celles que l'on utilise seulement pour photographier la nuit), au lieu des 100 ou 200 ASA habituels. Je reçois avec brutalité l'impact provoqué par chaque information. Les contrastes sont très forts. Il n'y a pas de nuances. Je perçois des choses que les autres n'impriment pas. Cela m'éloigne d'eux. »

D'autres personnes rencontrant la même difficulté disent aussi : « Je perçois tout très fort ; comme s'il n'y avait pas de filtre. » Elles ont l'impression d'être sans protection, de tout recevoir de front.

C'est ce que ressent un patient, notaire, qui a repris la charge de son père, transmise depuis des générations dans la famille. Ses qualités professionnelles sont reconnues par ses collègues. Très sérieux et travaillant beaucoup, cet homme est surmené ; il se sent souvent accablé. Il n'arrive pas à s'arrêter, à prendre quelques vacances, à se reposer. Il a souvent peur de ne pas réussir à faire face à la charge de travail qui lui incombe. Il se fait des reproches, s'accuse lui-même, se sent coupable, se trouve indigne. Il est triste, facilement découragé, désespéré même. Il lui arrive d'en vouloir à la terre entière. Il se plaint d'avoir perdu l'affection de ses proches, de « n'être plus rien pour eux ». Cet homme a peu d'amis et reconnaît qu'il ne les sollicite pas beaucoup. Ses relations avec sa femme sont, elles aussi, devenues maussades, routinières et n'ont plus de saveur.

Ce patient est tourmenté et nerveux. Il a beaucoup de mal à accepter la contradiction, même s'il fait de grands efforts pour laisser les autres exprimer leurs désaccords. Sa sensorialité est particulièrement aiguisée. Il ressent « tout très fort ». Il rougit facilement et se sent alors submergé par des bouffées de chaleur. Il n'aime pas l'hiver, le froid, la nuit. Il a peur de la mort, et en même temps reconnaît qu'elle le fascine. Profondément mélancolique, il a longtemps été suicidaire, préparant méthodiquement son départ et pensant constamment à sa mort. Toute cette déprime et cette lassitude le rendent difficile avec son entourage, d'humeur maussade, exigeant, autoritaire, coléreux aussi. Il s'en rend compte : il souffre de ne pas se reconnaître tel qu'en lui-même, au fond beaucoup plus avenant et affable. Sa mauvaise humeur est augmentée s'il a mal dormi. Maux de tête et bourdonnements dans les oreilles le rendent encore plus nerveux et déprimé, il se sent alors très abattu.

Cet homme intègre se confie peu. Il se contient, cachant le plus possible son mal-être, sa peine et surtout son désarroi d'être aussi sensible. Il en éprouve même de la honte et rentre certains soirs profondément déçu de ce qu'il est... Cette déception s'amplifie encore plus si ses enfants, qui font leurs études dans des villes éloignées, ne l'appellent pas pour parler, ou s'ils ne répondent pas à ses appels, non par indifférence mais par ce qu'ils sont occupés par leur vie de jeunes. Alors, si l'un d'entre eux cherche à le joindre et qu'il manque l'appel de justesse, il va se sentir profondément stressé et se retrouver particulièrement chagriné, presque inconsolable, ce qui accentue sa déception et son désarroi d'être ainsi...

L'exemple de ce patient est intéressant car il montre que ce que l'on appelle « hypersensibilité » correspond avant tout à un vécu intérieur, certes avec des manifestations qui peuvent être visibles de l'extérieur, mais bien loin du cliché de la personnalité extravagante ou excentrique.

Empathiques à l'extrême

Une personne très sensible est attentive à ce que l'autre vit. Elle s'identifie rapidement à autrui et éprouve facilement ce qu'il traverse (joie ou souffrance). Elle souhaite aussi souvent l'aider ou lui être agréable. Par exemple, un mari va être « aux petits soins » pour sa femme (ou inversement), un enfant va « se plier en quatre » pour satisfaire ses parents et ses professeurs, etc.

Betty est une femme fine et délicate d'une quarantaine d'années. Elle est artiste peintre et vit sous le soleil dans un joli village de Provence, où elle peut se consacrer jour après jour à sa passion. Elle est consciente depuis longtemps de sa grande sensibilité.

« Lorsque j'étais enfant, on me disait très sensible. Ma famille raconte que j'étais souvent en larmes. Heureusement, à l'âge de huit ans, mon professeur de piano a assuré qu'il s'agissait d'un point positif parce que cela voulait dire que je sentais les choses en profondeur. » Cette affirmation a aidé Betty à bien vivre sa sensibilité. « Je me souviens d'avoir vu mon monde intérieur et extérieur de manière très nette et je me rappelle encore des rêves de mon enfance. »

Betty a alors compris toute l'importance de sa sensibilité. Elle a gardé cette qualité en grandissant.

« En tant qu'adulte je suis sensible à la musique et à toutes sortes de beauté en termes de nature et d'art. La souffrance de n'importe quelle créature vivante m'affecte profondément ;

je dois alors lutter contre des sentiments de détresse. Je garde longtemps la portée d'une image visuelle. Sur le plan social, je ressens très vite de la compassion envers les autres. C'est quelque chose d'évident pour moi. Certaines fois je ressens la douleur des autres et je veux vraiment tendre la main pour les aider. »

Nous verrons encore à quel point l'empathie et la compassion sont des qualités communes aux personnes dont la sensibilité est très développée.

Effrayés par le conflit, blessés par la critique

En dehors de ce qu'elle apprécie dans le fait d'être sensible, Betty est également consciente de ce qui peut la gêner.

« Alors que je considère ma sensibilité comme un aspect positif de ma personnalité, mon hypersensibilité s'est avérée un point négatif dans ma vie. Cela s'est manifesté par une peur du rejet et le désir de faire plaisir aux autres au risque de ne pas être moi-même. Par conséquent, cela peut me pousser à être indécise et à éviter les conflits. Dans mes relations personnelles, je peux faire preuve de possessivité et même d'un comportement exclusif à l'égard du sexe opposé. Parfois, j'ai pu sentir de l'attirance pour les situations impossibles. Cela me fait ressentir de la honte et de la culpabilité. Pendant longtemps, j'ai voulu me retirer du monde pour me cacher et me protéger. »

Betty est confrontée à des situations qui ne la laissent pas en repos. Par exemple, il lui arrive fréquemment de revivre une situation qu'elle a trouvé embarrassante. Elle passe en revue encore et encore certaines conversations pour tenter de les comprendre et pour imaginer comment elle aurait pu faire autrement ou dire autre chose. Elle conçoit des regrets, même de la honte, à propos de ses attitudes et de ses comportements. D'autant qu'elle supporte difficilement d'être critiquée.

« Plus récemment, j'ai appris à lutter contre de vives réactions concernant les commentaires ou critiques à propos de mon travail. Parfois, mon mari et moi ne partageons pas les mêmes opinions à propos de ma création et de ses objectifs. Je le ressens comme un défi à ma personnalité (c'est-à-dire à qui je suis). Pour moi, c'est douloureux. Je réagis alors par une attitude défensive et je suis troublée. Pourtant, je constate que cela ne me convient pas et je souhaite changer cette façon de réagir. »

Une autre source de tourments pour Betty concerne les relations familiales et, surtout, les disputes à l'intérieur de sa famille.

« Certains problèmes de famille me perturbent énormément, même s'ils ne me concernent pas directement. Je me sens perdue dans ce genre de situations. Comment aider les autres sans avoir l'air d'interférer, en respectant chacun ? Pour moi, un désaccord entre des membres proches d'une famille est quelque chose de grave. Il est si facile de rouvrir les blessures. Dans ces moments-là, je me sens accablée et confuse. »

Comme Betty, beaucoup de personnes qui disent être
« hypersensibles » ont du mal à accepter les critiques,
non par orgueil, mais du fait d'une fragilité identitaire (je
ne suis pas assez sûr de qui je suis) et d'une mauvaise
estime d'elles-mêmes (je ne crois pas assez en moi).
Elles préfèrent également éviter les conflits, tant ils les
mettent mal à l'aise, allant jusqu'à générer des peurs
qu'elles croient insurmontables et des souffrances très
profondes (tels des vécus de catastrophes).

La sensibilité, même très développée, n'a rien à voir avec
l'outrance : la sensiblerie (fausse sensibilité mielleuse) ou
le théâtralisme (expression affectée et caricaturale). Elle
n'est pas non plus un long fleuve tranquille. Elle ressemble plus aux cours d'eau réservant d'innombrables
surprises, aux ruisseaux bondissants et aux rivières
changeantes. Elle a mille et un visages. Pour certains,
comme les torrents de montagne sous l'orage, elle peut
devenir débordante.

Dans la grande majorité des cas, les personnes très
sensibles expriment des difficultés à bien vivre leur
différence par rapport aux autres, surtout dans un
environnement qui met peu la sensibilité à l'honneur.
Elles craignent d'être mal vues, mal considérées, mal
acceptées. Certaines personnes plus rares vivent relati-
vement bien leur particularité, qu'elles considèrent alors
plutôt comme une qualité, voire une force. Dans tous
les cas, les êtres vraiment sensibles sont en recherche
de sincérité.

En quête d'authenticité

Pour les femmes comme pour les hommes, l'authenticité, au même titre que l'empathie ou que l'importance accordée à autrui, est une caractéristique fondamentale qui aide à mieux comprendre les personnes hypersensibles. Voici l'exemple d'une femme qui, dans l'ensemble, vit bien sa très grande sensibilité.

Jeune femme pétillante au caractère déterminé, Camille est couturière. Elle a une vie sociale plutôt riche et heureuse, aime recevoir et sortir, randonner et lire. Elle dit « avoir les qualités de ses défauts ou l'inverse » : elle se place facilement en médiatrice lors de conflits mais manque parfois d'assurance quand il s'agit d'affirmer ses propres positions. Elle s'investit avec passion dans divers projets qu'elle ne mène pas tout le temps à leur terme, elle a aussi du mal à « lâcher prise » sans avoir l'impression de « laisser tomber ». Elle affirme ne pas aimer les relations superficielles ou fondées sur le profit personnel, qui sont toxiques, et se définit comme une « idéaliste repentie ».

Camille considère sa sensibilité comme un trésor. Elle est sociable, capable d'une grande écoute, prête à se dévouer aux autres. Elle regarde sa sensibilité très vive avec beaucoup de lucidité.

« Je pense que je suis très sensible, bien que sans effusions. Je crois que cela me permet d'équilibrer ce trait de caractère. La sensibilité dont l'autre fait preuve est précieuse à mes yeux. Lorsque je suis touchée agréablement, j'essaie de l'exprimer en retour. Lorsque je suis blessée, j'ai besoin d'exprimer mon incompréhension, ma frustration, ma colère, ma tristesse… J'essaie aussi de tenir compte de la sensibilité de l'autre pour l'inciter à exprimer ses sentiments négatifs. Dans une relation symétrique, si je ne me sens pas écoutée ou comprise, ma sensibilité envers l'autre peut s'émousser. Je peux alors m'éloigner. »

D'une grande vivacité d'esprit, foisonnante d'idées, Camille n'apprécie pas les excès et la théâtralité. Elle accorde peu d'importance aux apparences, aux conventions, au « politiquement correct » et aime découvrir les gens dans la durée d'une relation. Elle est convaincue que « l'excentricité est une façon détournée de compenser ses difficultés ». Elle peut en venir à regretter chez l'autre un manque de profondeur, tout en admettant qu'« il faut de tout pour faire un monde ». Elle a donc besoin de temps pour être en confiance avec une personne très démonstrative ou exubérante.

« La sensiblerie m'énerve, je peux alors être de mauvaise foi, ne pas participer, me mettre en retrait, mais l'insensibilité à la détresse d'autrui est une défense dont j'essaie de ne pas me servir trop : à force d'insensibilité, certains êtres perdent de leur humanité. Je suis sensible à la beauté de la nature, aux personnes authentiques, plus qu'aux arts qui me procurent peu d'émotions. Ma sensibilité idéale serait un juste milieu entre sentiments et sensations. »

La présence des autres est très importante pour Camille. Par moments, elle a l'impression que sa sensibilité devient très forte. Elle essaie de comprendre ce qui se passe alors pour elle. Elle recherche dans ses sensations physiques ou dans ses souvenirs des éléments de comparaison avec d'autres émotions passées. « Ce qui ne nous tue pas nous rend plus fort », se répète-t-elle. Camille pense qu'une fois qu'elle a surmonté une émotion qu'elle croyait « insurmontable », elle sait qu'elle peut désormais survivre à d'autres émotions de cette puissance-là avec davantage de force et de confiance en elle, ce qui lui procure une autre émotion, très positive celle-là.

« J'ai parfois des bouffées d'émotions ! Je suis très sensible au bonheur (le mien ou celui des autres) : c'est très agréable, je le vis comme un cadeau dans l'instant. Cela me surprend à chaque fois, ma gorge se serre, mon cœur bat plus vite, les larmes peuvent me monter aux yeux. C'est encore mieux lorsque je suis avec d'autres, si je peux partager cette surprise ! En revanche, si je vis un moment très négatif, j'essaie de mettre ma sensibilité de côté, pour un temps : j'y réfléchirai plus tard… Sur le moment j'essaie de m'adapter. C'est assez rare que je fonde en larmes. Parfois, je regrette que ce ne soit pas plus souvent, car ça fait du bien de pleurer, c'est aussi une forme d'expression. »

Camille semble réussir à contrôler sa sensibilité dans les moments où celle-ci pourrait devenir trop forte et la déranger, même si cela l'empêche de vivre pleinement ces instants-là. Elle aimerait pouvoir se laisser plus aller, mais peut-être a-t-elle encore un peu peur de sa sensibilité ?

3

VIVRE À FLEUR DE PEAU
ET ÊTRE À VIF

*« Je voudrais tant que vous puissiez instiller
dans mon cœur un peu de confiance
en la nature humaine... Le monde est trop
brutal pour moi... Je ne me sens pas
faire partie du monde. »*

J. Keats

Keats, la flamme du poète

Le poète romantique anglais John Keats est un merveilleux exemple de personne sensible à l'extrême, vivant sans cesse à fleur de peau. Né près de Londres en 1795, il meurt de la tuberculose en 1821 à Rome, à vingt-six ans seulement. Déjà sa mère et son frère Tom avaient succombé à la tuberculose, cette maladie rampante, incurable à l'époque, maladie de la tristesse, du deuil, de la solitude et du froid qui gagne insidieusement l'intérieur de l'être. Très tôt orphelin de père et de mère, le jeune Keats consacre des heures entières à lire seul dans la bibliothèque de l'école. John développe très jeune un goût pour la littérature et plus particulièrement pour la poésie. William Shakespeare est son poète préféré. Ses amis le décrivent comme un être discret, bienveillant, plein d'humour et de fraîcheur, ayant gardé l'apparence d'un adolescent fragile.

Comme beaucoup de personnes très sensibles, il aime la nature et sa beauté. Son amour plein de passion et de tendresse pour la jeune Fanny Brawne a été magnifiquement décrit par Jane Campion en 2009 dans le film Bright star.

Le préfixe « hyper » vient du grec *huper* qui veut dire « au-dessus » et « au-delà ». Hypersensibilité signifie donc, littéralement, au-dessus et au-delà de la sensibilité. Cela ouvre une perspective intéressante pour réfléchir à ce que vivent les personnes qui se trouvent « hypersensibles », par exemple en ouvrant l'exploration du côté de l'intelligence, de l'intuition et du subtil (parfois désigné comme « suprasensible »). L'évolution du mot, comme souvent, tient compte des usages et des coutumes. Viennent donc se sédimenter sur lui des connotations qui l'éloignent de son sens premier, notamment par le biais de jugements d'ordre moral. Sur le versant ensoleillé, laudatif, « hyper » vient signifier « le plus haut degré » : l'hypersensibilité serait donc le plus haut degré de la sensibilité. Sur le versant sombre, dépréciatif, « hyper » en est venu à exprimer « l'exagération » et « l'excès ». Ainsi, par exemple, l'hyperémotivité désignerait non seulement une très forte capacité à ressentir des émotions (ce qui est une qualité, par exemple pour accomplir un métier d'artiste), mais aussi une émotivité considérée comme exagérée ou excessive (ce qui peut être vécu comme un défaut, par exemple dans le milieu des affaires). Quoi qu'il en soit, il est vrai que, pour certains individus, il peut être difficile d'accepter de vivre pleinement leurs émotions, et de les réguler lorsque cela leur semble nécessaire. Une forte émotivité concerne aussi certaines formes d'exacerbation de la peur, de la tristesse, de la colère, etc. Cette exacerbation peut prendre deux formes principales : une *amplification de l'impression* (l'impact émotionnel est accru à l'intérieur de soi par un phénomène de résonance[1]) et une *insistance de l'expression* (pour être sûre d'être vue ou entendue, la personne peut sentir le besoin de mettre en évidence son émotion, par exemple en la dramatisant).

Désenchantés

Beaucoup de moments de grande sensibilité sont plus ou moins liés à une perte : d'une personne aimée, d'une raison de vivre, d'une illusion importante. Ainsi, certaines personnes très sensibles peuvent être en proie à une forte désillusion, profonde et durable, qui les laisse désenchantées, comme souffrant d'une plaie à vif, d'une hémorragie permanente.

Ces personnes se présentent fréquemment comme étant épuisées, anxieuses, se faisant beaucoup de soucis pour elles-mêmes et pour leurs proches. Elles peuvent être dévitalisées, amaigries, très agitées intérieurement malgré leur grande fatigue. Elles en arrivent parfois à croire qu'elles sont gravement malades et incurables, ont peur de mourir mais ne veulent pas être soignées. Très méticuleuses, elles peuvent même être pessimistes et critiques, voire insatisfaites et déçues par la vie. Dormant mal, leur épuisement devient une « fatalité » avec laquelle elles essaient de composer. Alors, tout leur pèse. Elles peuvent être hantées par la mort et perdre peu à peu le goût pour la vie.

---

1. Voir également la deuxième partie (page 85).

Lizzy est une femme d'une cinquantaine d'années tout en sensibilité. Fatigable et de santé fragile, elle est très délicate, autant physiquement que psychiquement. Passionnée par son métier de traductrice et par la littérature, elle se sent en même temps, comme John Keats, très désillusionnée par le monde, ses violences, ses rudesses, ses mensonges et ses laideurs.

« Ma sensibilité se manifeste plus particulièrement par mon attention vis-à-vis des autres, par le besoin et le plaisir de m'occuper de ceux que j'aime, par mon souci de l'autre, ma peur de blesser, par la faculté que j'ai à être touchée à la fois par la bonté des autres et aussi quelquefois par leur manque de délicatesse. »

Lizzy ressent une forte empathie à l'égard des autres, mais également une grande vulnérabilité, une forte souffrance au moindre « faux pas » qu'elle commettrait, même malgré elle, se sentant alors très vite coupable. Elle est parfois étonnée par des ressentis qui frôleraient la susceptibilité, même si la connotation péjorative de ce terme ne correspond pas vraiment à sa nature.

« Je suis très attentive à l'autre, à ce qu'il me dit, à ce qu'il exprime. J'essaie sincèrement de l'accueillir dans toute son huma-nité et je me sens touchée, émue ou blessée, parce que j'absorbe ses mots, ces mots qui ont un sens et que je laisse résonner en moi. Un film, une lecture, une photo sont aussi des supports à l'expression de ma sensibilité. Cette sensibilité m'émeut souvent aux larmes : oui, je pleure facilement et souvent ; pour moi, le bonheur comme la tristesse sont sources de larmes. »

La sensibilité de Lizzy lui permet d'envisager l'autre, de mieux le comprendre, d'appréhender sa personne, de préciser d'une certaine façon sa personnalité, « un peu comme une radiographie » !

« Curieusement, j'ai souvent du mal à mettre en mots mon impression, c'est un peu comme si je ressentais la personne dans sa globalité et de manière abrupte, presque avec violence. »

Les proches sont très importants pour Lizzy. Elle est très attentive à ce qu'ils sont et ce qu'ils font, mais leurs maladresses ou leurs injustices la touchent énormément.

« Lorsque je parle avec une de mes amies qui est danseuse, très intelligente et sensible, je ressens toute la bonté de cette femme, j'en suis enveloppée. Mon compagnon m'émeut par ses actes de grande gentillesse. Il me révolte lorsque ses paroles me paraissent injustes, alors la colère me submerge. Lorsque je pense à mon fils, c'est comme une vague d'amour, je sais que je l'aime à l'infini et pour toujours. Cette sensibilité me fait vivre les événements en profondeur : il m'est impossible de nouer une relation superficielle. »

Effectivement, par moments Lizzy perçoit que sa sensibilité est très forte. Que se passe-t-il alors ?

« Elle se manifeste au cours d'instants qui peuvent être positifs ou négatifs, ce peut être un partage de sororité avec une amie, ou une personne qui se révèle être proche spontanément, ce peut être un instant de déception lorsqu'une personne pour laquelle j'ai de l'affection ou du respect me fait entrevoir ses limites d'humain par des paroles maladroites ou offensantes, ou des actes qui me blessent. »

Dans le premier cas, Lizzy constate que l'effet bénéfique de l'empathie « illumine sa journée », dans le deuxième cas, elle cherche à prendre sur elle, à se détacher et « mettre à distance l'effet délétère » : elle a besoin de beaucoup de temps pour se rassurer et ne pas se sentir abandonnée. Pourtant, cela ne l'empêche pas de rester dans la sollicitude et le lien.

« J'essaie chaque fois de comprendre l'autre. Cette compréhension n'est pas possible à chaque fois, mais elle m'aide à moins souffrir, à ne pas me sentir indigne. »

Souvent déçue par les déboires de son existence, Lizzy peut aussi en arriver à se trouver illégitime et à se croire maudite. Comment son enthousiasme a-t-il pu être à ce point abîmé ?

Émus aux larmes

Plus que l'angoisse ou la timidité, plus que le manque de confiance en soi, ce qui caractérise le mieux l'hypersensibilité concerne la sensation d'être très souvent ou tout le temps « à vif ». L'hypersensible serait donc un être particulièrement réactif et émotif.

L'émotivité peut se manifester sous bien des formes. Il peut s'agir de tous les malaises et les gênes découlant de la honte. Il peut s'agir de colères, brutales et imprévisibles, sans raison apparente, parfois avec des jurons, des insultes et une grossièreté qui tranchent avec l'attitude bonhomme, voire placide, qui précédait. L'irritabilité peut également découler d'un fond exigeant et impatient, y compris autoritaire et impérieux, chez des personnes qui vivent dans des excès de toutes sortes (aliments, boissons, drogues, médicaments, sexualité, travail). Il peut enfin être question d'une sensibilité à fleur de peau, d'une émotivité qui trémule comme la feuille au moindre vent, qui font dire de tel homme : « il a un cœur d'artichaut » ou de telle femme : « elle pleure comme une madeleine » ! Souvent l'émotivité peut paraître paradoxale, contradictoire ou changeante. Par nature étrangère à toute rationalité, au moins dans un premier temps, l'émotion apparaît par surprise et perturbe autant celui qui l'éprouve que ceux qui en sont spectateurs. Cette impossibilité de les prévoir et de les contrôler rend donc les émotions suspectes et peu appréciées, en général. Il est très tentant de souhaiter les dompter, les « gérer » ou les maîtriser...

Pendant longtemps, Marc a essayé de vivre en tenant sa sensibilité sous bonne garde, quitte à réprimer celle des membres de son entourage, pour que rien, venant d'eux, ne puisse réveiller sa conscience anesthésiée. Marc brûlait sa vie en étant tout le temps dans l'excès.

« En fait, je passais d'une sensation extrême à une autre sensation extrême. Extrêmes aussi l'alcool, la cigarette, le sexe... Cela devenait du ping-pong. En réalité, je ne maîtrisais plus rien. À partir de là, j'ai perdu l'émotion, la vie, les sentiments, l'humain. »

Marc s'imposait de très fortes exigences. L'exigence, lorsqu'elle est mal utilisée, finit par se retourner contre soi-même et contre les autres. Pour supprimer les sentiments de honte, de mauvaise estime de soi, Marc était devenu exigeant envers lui-même, mais surtout envers les autres au point de les manipuler et finalement de se manipuler lui-même.

« J'étais coléreux, impatient, je ne supportais aucune frustration. J'ai fini par me fermer, ne plus rien attendre de l'autre, ne plus supporter les autres. Quand on ne peut plus se voir, on ne peut plus voir les autres non plus ! »

Marc ne supportait plus rien... Un drame personnel dans son existence le pousse un jour à consulter un psychanalyste. Acceptant la règle d'or de la plus grande honnêteté (et de la plus grande liberté, c'est-à-dire du *tout dire sans rien censurer*), Marc réalise qu'il en venait à manipuler ses proches pour obtenir ce qu'il voulait. Une fois les barrières démontées et les barricades écroulées, Marc retrouve sa grande sensibilité. Pendant des mois, face à la désolation de sa vie d'alors, il pleure à chaudes larmes à chaque séance. Il mesure aujourd'hui ce qu'il ressent.

« Je peux être totalement insensible sur bien des choses ; en revanche, ma sensibilité se manifeste surtout dans la relation de personne à personne et aussi dans la vision de l'amour, par exemple lorsque je vois un beau film. L'amitié profonde, l'amour, la solidarité me font monter les larmes aux yeux, voire me font pleurer. La force aussi peut me donner une sensation qui me remplit. Voir une personne qui se bat contre l'injustice peut me sensibiliser très fortement. Je crois que c'est le ressenti d'injustice qui me rend le plus sensible aux événements. Dans la relation en face-à-face, par exemple avec mon épouse, c'est souvent simplement de la voir passer, quand tout va bien, dans le couloir, ou de la regarder se lever qui peut provoquer des sentiments très à fleur de peau, quelque chose qui me touche beaucoup. Quelquefois, je vois mes enfants ensemble quand je rentre du travail et les larmes me montent aux yeux, souvent avec un frisson. »

Marc découvre aussi comment sa forte sensibilité s'exprime au travail, à travers le trac paralysant qu'il éprouve lorsqu'il va parler en public, par le découragement radical qui le submerge lorsqu'un membre de sa hiérarchie ne le félicite pas comme il l'attendait ou par le terrible sentiment d'abandon qui l'envahit lorsque ses collègues partent déjeuner sans lui[1]. Il peut alors se sentir désabusé, perdre complètement confiance en lui et se remettre en cause.

Lorsque les émotions sont très fortes et nous dépassent, nous devenons particulièrement *réactifs* à ce qui nous arrive, se passe en nous ou autour de nous. Nous pouvons alors nous énerver pour un rien, nous sentir exaspérés, éprouver une grande consternation ou un abattement douloureux. Nous pouvons aussi avoir des réactions corporelles (coliques, rougeurs, transpiration abondante, etc.).

---

1. S. Tomasella, *Le sentiment d'abandon*, Eyrolles, 2010.

En proie au doute

L'hypersensibilité est facilement source de malentendus. D'abord parce que les conceptions ou les définitions de ce qu'elle représente varient d'une personne à l'autre. Ensuite, parce que les réactions très vives qu'elle entraîne sont difficiles à comprendre pour l'entourage et souvent en décalage avec ce à quoi il s'attendait. Enfin, parce que la souffrance qu'elle exprime pousse parfois à faire des suppositions erronées par rapport à la réalité et à mal interpréter les intentions en jeu.

Comme à chaque fois dans le domaine des réalités psychiques, ce qui existe dans la relation avec les autres peut aussi exister dans la relation avec soi-même. Une personne très sensible peut arriver à vivre des situations de malentendus avec elle-même, à faire des suppositions sur ce qu'elle ressent et à méjuger ses propres intentions : cette disposition engendre alors en elle un doute persistant.

Elsa est une femme avenante et pimpante à l'aube de la cinquantaine. Médecin spécialiste, son professionnalisme est reconnu dans la ville où elle travaille. Malgré toutes ses qualités et tous ses atouts, Elsa doute continuellement d'elle, de ses perceptions, de ses convictions et de ses capacités. Elle est parfois accablée par une lassitude extrême et des maux de tête qui la font énormément souffrir. Dans certaines circonstances, elle se sent impuissante, par exemple lorsqu'elle se retrouve face à des personnes de mauvaise foi ; elle est alors incapable de leur répondre…

« Ma sensibilité est plutôt exacerbée, à fleur de peau, surtout quand je suis surmenée. Elle me permet d'être en empathie avec les autres. Je suis touchée par certains paysages, des musiques, des sons, certaines atmosphères, certaines paroles. »

Elsa est particulièrement sensible au rythme : notamment aux bruits et aux mouvements. Elle repère vite les moindres petits bruits. Un volume sonore un peu trop élevé la dérange ou la met mal à l'aise. Pour cette raison elle écoute la radio ou la télévision au volume le plus bas.

« J'aime écouter les bruits de la nature, la pluie, le vent, le bruissement des feuilles, les oiseaux, la neige sous les pieds, l'impression cotonneuse lorsqu'elle tombe… mais j'apprécie beaucoup le silence. La vue (certains paysages, Paris vu d'en haut…), l'ouïe (musiques, chansons) peuvent déclencher en moi des larmes d'émotion. Je peux aussi me sentir transportée de joie. Lorsque je danse, surtout avec un partenaire, une descente dans les traces d'un bon skieur, je sens la vie en moi, je me sens légère, gaie, je peux même avoir envie de chanter ! »

Elsa est également très sensible à certains événements, aux mauvaises nouvelles, mais aussi aux appréciations des autres : leurs désapprobations comme leurs approbations.

« Si quelqu'un me fait des remontrances ou des reproches, je ressens de la peine, de la tristesse le plus souvent, et je peux me sentir abattue physiquement. Je suis également sensible aux compliments, qui sont alors moteurs, dissolvent la déprime et font même disparaître la fatigue physique. Je suis également affectée par certains événements de l'actualité qui m'attristent ou me révoltent. Cela se manifeste dans mon corps par des frissons. Lorsqu'elle est exacerbée, ma sensibilité provoque des larmes, quand je suis touchée par le discours d'un patient mais aussi lors d'un mariage ou lors du spectacle des enfants à l'école... Les larmes viennent à la place des mots le plus souvent. Plus que tout, c'est le doute quasi permanent qui caractérise ma très forte sensibilité. »

Dans certaines situations, cette grande sensibilité se renforce encore et s'accentue. La moindre réflexion, l'évocation d'un souvenir douloureux ou, au contraire, d'un moment de grand bonheur passé, un changement de programme au dernier moment : les larmes surviennent, une profonde tristesse avec un sentiment de solitude extrême et de vide de l'existence. Comme beaucoup de parents proches de leurs enfants, cette sensibilité s'avive encore plus dès qu'il est question d'eux.

« Les peines et les joies de mes enfants deviennent les miennes. Leurs pleurs lorsqu'ils étaient bébés déclenchaient un profond mal-être en moi. Tout ce qui les concerne de près ou de loin me touche et ma réaction est imprévisible, même si avec le temps j'anticipe : par exemple quand j'accompagne mon jeune fils aux portes ouvertes d'une école d'ingénieurs, à peine descendue de voiture, j'ai les larmes aux yeux. Ouf ! Il n'a rien remarqué ! J'avais été moins discrète à une réunion parents-profs du plus grand où j'avais cru bon d'avertir le professeur principal que son père allait commencer une radiothérapie : j'avais fondu en larmes, laissant le professeur quelque peu démuni. »

Elsa peut être sensible au climat de tension qui règne dans certaines situations familiales. Quasi instantanément, la perception de cette tension peut déclencher une crise de colite.

« Ma sensibilité est tout le temps très vive en famille, souvent à table, lorsque nous abordons certains sujets avec mes enfants, leur enfance, la mienne : les larmes me montent aux yeux du fait de la nostalgie que j'éprouve. Elle est extrême lorsqu'il s'agit de la mort d'un enfant, même si je ne suis pas directement touchée par l'événement. Avec mes patients, il y a des périodes où je suis plus sensible et où je ressens presque dans mon corps les coups qu'ils ont reçus, où mes yeux s'humidifient plus facilement ! Dans ces moments-là, aussi, mes doutes sur moi-même s'intensifient énormément. »

La sensibilité d'Elsa a souvent pour conséquence l'arrivée des larmes, un repli sur soi et un sentiment de solitude, surtout quand elle a affaire à des gens qui ne partagent pas la même sensibilité qu'elle. Ces manifestations sont communes à la majorité des personnes très sensibles…

4

SOUS LE REGARD DES AUTRES

> « Je fus malheureux en comprenant
> que le moment où je serais de nouveau
> vulnérable approchait. Je me recroquevillai,
> dans l'espoir que l'obscurité reviendrait
> s'épaissir et m'envelopper. »
>
> A. Appelfeld

La sensibilité de l'être humain est avant tout relationnelle. Il peut s'agir de relations avec d'autres personnes, mais aussi avec la nature, les éléments, les animaux. Dans le domaine des relations humaines, la sensibilité peut être activée, intensifiée ou exacerbée par les réactions de l'entourage, surtout s'il s'agit de réactions négatives : réprobations, reproches, jugements, dévalorisations, etc.

Dans les relations avec les autres, une forte sensibilité peut fréquemment se manifester par de la réserve, de la timidité, ou par certaines formes de susceptibilité et d'instabilité.

Handicapés par la timidité

« *La timidité ne diminue pas devant l'âme de l'autre, mais ne fait au contraire que s'accroître*[1] », affirme la philosophe Hannah Arendt. Effectivement, plus une personne est timide, plus elle est sensible aux regards posés sur elle, aux avis émis sur sa personne, et plus elle a tendance à vouloir se replier sur elle-même et se retrouver seule, ou en tout petit comité. Cette timidité peut aller jusqu'à la peur des autres, l'anxiété à se retrouver en société, voire la panique dans une foule.

Nadia est une belle jeune femme candide d'une trentaine d'années. Elle est douce, émotive, très timide. Elle rougit lorsqu'elle parle d'elle ou cherche à répondre à une question, surtout si elle discute avec un homme. Elle a facilement les larmes aux yeux. Lorsqu'elle pleure, son visage peut s'illuminer soudainement d'un large sourire. Nadia a besoin d'être consolée, réconfortée, encouragée. Elle apprécie la gentillesse et la sollicitude à son égard. Elle redoute d'être fâchée avec quelqu'un, même si elle le connaît très peu. Elle observe qu'elle peut être d'humeur changeante, ce qui la surprend elle-même. Nadia affirme qu'elle aime la compagnie et qu'elle a besoin de beaucoup d'affection. Elle aime faire des cadeaux à ses proches. Ce qu'elle craint par-dessus tout, c'est de ne pas être aimée et d'être rejetée. Lorsqu'elle se sent délaissée, Nadia sombre dans un profond désespoir et remet tout en cause.

---

1. H. Arendt, M. Heidegger, *Lettres et autres documents 1925-1975*, Gallimard, 2001, p. 38.

Un jour, après une période où il s'est beaucoup plus investi dans son travail, son compagnon la quitte brutalement. Nadia en est très malheureuse et complètement déstabilisée. Elle n'arrive plus à dormir la nuit et pleure durant de longues heures. « J'ai l'impression qu'il m'abandonne. Je n'aurais jamais pu penser qu'il puisse le faire. La vie n'est-elle pas une succession d'abandons ? Au fond, tout simplement... ne sommes-nous pas seuls ? Nous naissons seuls... Nous mourons seuls... Vais-je avoir la force de traverser cette épreuve ? Parfois je me demande pourquoi mon chemin est si chaotique, plein de désillusions, de sentiments d'échecs et de manque de force. Peut-être n'ai-je pas la force de tracer mon chemin ? » Puis, comme dans chaque moment difficile, Nadia se pose des questions radicales. « Je me demande où est ma place dans ce grand univers. Y a-t-il une place pour les âmes sensibles et sincères ? Est-ce une utopie de croire qu'il y a une place pour ces âmes-là dans notre société ? »

Bien que douce et docile, Nadia peut se mettre dans de grandes colères. Elle prend sur elle très longtemps, puis lorsqu'elle n'en peut plus, elle éclate et ne se reconnaît plus tant sa colère est forte. Elle aime beaucoup se promener dans la nature. Elle apprécie tout particulièrement le vent et les promenades en bord de mer. Elle dit avoir tout le temps besoin d'air et se débrouille pour créer des courants d'air, chez elle, mais aussi au travail, ce qui n'est pas forcément du goût de ses collègues !

Les personnes timides, bien que réservées, peuvent paraître fantasques à leur entourage du fait de goûts, d'habitudes ou de marottes qui surprennent les autres. Ainsi, une très grande sensibilité va souvent de pair avec une forte originalité. Il arrive que cette différence avec les autres soit accentuée par des difficultés à exprimer ses ressentis, surtout pour un enfant.

« Je crois que les choses avaient un grand impact sur moi lorsque j'étais enfant : je ne parlais presque pas, ou très peu, à cause de ma très grande timidité. Je ne pouvais donc pas exprimer ce que je ressentais. J'ai l'impression que, de ce fait, je ressentais plus intensément que d'autres les événements et que je devinais ce qu'éprouvaient les personnes autour de moi. C'est d'ailleurs plus ou moins le cas, j'ai parfois des sensations physiques qui ressemblent à ce que je perçois être la sensation de l'autre (par exemple, je ressens une douleur si l'autre se plaint d'un mal de ventre !)[1].»

Cette intensité des ressentis est caractéristique de l'hyper-sensibilité, de même que la capacité de percevoir précisément ce qu'éprouve l'autre et de se mettre à sa place, de s'identifier à lui, jusqu'à sentir ce qu'il est en train de vivre. Pour autant, cette vigueur des perceptions est avant tout intérieure, de soi à soi-même. Elle est difficile à exprimer et à expliciter.

« Dans ma vie quotidienne, je me souviens très bien avoir eu des problèmes infinis, dus au fait que j'étais totalement incapable de dire ce qui n'allait pas. Dans ma vie sociale, cela se traduisait par une incapacité à dire non. Je me retrouvais systématiquement dans des situations que je ne souhaitais pas et

---

1. M.-J. Jude, communication personnelle.

qui me pesaient. Dans mes relations amoureuses, cela m'était tout simplement impossible de communiquer. Elles se terminaient souvent par ma rencontre avec quelqu'un d'autre. À ce moment-là, je provoquais la rupture, avec peu d'explications sur la relation, puisque le nouveau venu me permettait de passer à autre chose en coupant court à la discussion[1] ! »

En dehors du manque de confiance en soi, la timidité découle principalement de l'intensité des perceptions à laquelle s'ajoute l'impossibilité de les exprimer. Elle pousse donc la personne à prendre un certain nombre de précautions pour éviter de se retrouver dans les situations où son malaise serait soit trop fort pour elle, soit la mettrait dans une situation pénible face aux autres. La personne timide cherche à ne pas vivre de moments de gêne ou de honte, surtout en public.

À l'abri des regards

Le poids de l'environnement social et l'impact du regard des autres peuvent intervenir de façon différente. Si certaines personnes préfèrent cacher leur sensibilité et retenir leurs émotions, d'autres, bien que timides, cherchent progressivement à affirmer leur sensibilité face aux autres comme une qualité et une source de fierté, prenant le contrepied de leur culture d'origine.

Djamel est étudiant en langues orientales. Il a grandi sous le regard dur et exigeant de parents très critiques. Pendant longtemps, il a cru retrouver ce regard chez tous

---

1. *Id.*

ceux qu'il côtoyait[1]. Pour son père, d'origine algérienne, « sensibilité rime forcément avec fragilité ». Afin d'être « un homme, un vrai », il était interdit de montrer sa sensibilité. Enfant et adolescent, Djamel a souvent eu honte dans les moments où cette sensibilité se voyait, malgré tous ses efforts pour la cacher. Enfant, il s'efforçait de ne pas pleurer à table quand ses parents lui faisaient des remarques sur le fait qu'il ne mangeait pas ce qu'il y avait dans son assiette. Il prétendait avoir envie d'aller aux toilettes ou invoquait n'importe quel autre prétexte pour aller pleurer en silence, dans un lieu où personne ne le verrait. Aujourd'hui, Djamel considère sa très grande sensibilité comme faisant partie de sa personnalité, tout simplement, il ne serait pas lui-même autrement.

« Je suis sensible depuis toujours. Je peux pleurer à chaudes larmes devant un film. La première fois que j'ai pleuré, c'était en regardant *Forrest Gump*, la tête dans mes bras, caché pour sangloter, je ne comprenais pas ce qui m'arrivait ! »

Pendant très longtemps, cette sensibilité s'est traduite par une grande timidité, partout, dans toutes les situations dans lesquelles Djamel se trouvait. Il avait très peur du monde environnant et de toutes les personnes qui le composent : instituteurs, élèves, amis de sa famille, gens dans la rue, etc.

---

1. S. Tomasella, *Le transfert*, Eyrolles, 2012.

« Les seuls moments où je me sentais en sécurité étaient les moments passés en compagnie de ma mère. Les moments les plus tranquilles ? Je pouvais passer des journées entières à jouer à des jeux de construction dans ma chambre. Je ne faisais aucun bruit pour ne pas déranger mon père qui rentrait dans l'après-midi de son travail : sa sieste était « sacrée ». Je ne devais pas non plus déranger ma grande sœur, très bonne élève à l'école, qui passait son temps sur ses devoirs. Je construisais mes mondes et mes immeubles, dans mon coin. Ces moments m'ont appris à vivre avec la solitude. »

La grande sensibilité de Djamel peut devenir encore plus vive lors de circonstances particulières, surtout s'il se trouve face à l'inconnu. Elle lui permet de vivre à plein régime ses expériences de jeune homme qui découvre la vie et le monde, quitte à se sentir parfois vaciller.

« Je me souviens, quelque temps avant l'embarquement de mon avion pour Shanghai, je venais de quitter mes parents. Après leur avoir dit au revoir, je marchais sans me retourner... L'inconnu s'ouvrait complètement à moi... Je tremblais comme une feuille, j'avais la gorge serrée, comme mes poings, des larmes venaient et je me rassurais en me disant que tout allait bien se passer. Je suis entré dans le point presse et là... une voix familière résonnait à la radio, c'était une de mes chansons favorites ! Je me suis dit que j'avais de la chance et qu'elle m'accompagnerait partout... »

En même temps, au-delà de ses peurs, cette sensibilité extraordinaire l'aide à s'émerveiller de ce qu'il vit, de ce qu'il voit, entend et sent.

L'exemple de Djamel est frappant. Même si, pendant longtemps, il a eu besoin de se protéger du regard des autres, son témoignage montre que l'hypersensibilité n'est pas forcément source de difficultés, de problèmes ou de souffrance, mais qu'elle est surtout le signe même de la vie, d'une grande vitalité débordante et foisonnante !

Une confiance fragile

Le malaise que peuvent engendrer la timidité et le manque d'assurance face aux autres est parfois handicapant. Il entraîne de fortes tensions psychiques et physiques. Aussi n'est-il pas rare de voir des personnes très sensibles particulièrement tendues, nerveuses, agitées. Certaines ne peuvent pas rester en place et ont besoin d'aller ouvrir une fenêtre ou de sortir prendre l'air, d'autres bougent sans cesse leurs jambes, triturent leurs mains, mâchent un crayon ou tirent sur leurs cheveux. D'autres encore regardent en coin par peur de poser un regard de face, d'autres enfin ont des tics ou font des grimaces tant les tensions sont fortes en eux...

Lorsque Milena vient consulter pour la première fois, elle est dans un état de grande agitation nerveuse et, en même temps, d'épuisement vital. Elle est très amaigrie, souffre d'une intense confusion mentale, dort très peu, son sommeil est rompu par des cauchemars qui la terrorisent. Le moindre geste de son thérapeute l'effraie et chacune des questions qu'il lui pose l'irrite au plus haut point. Elle se plaint d'avoir froid et bouge continuellement les pieds. Quelques semaines sont nécessaires pour que Milena et son psychanalyste s'apprivoisent. Milena commence à s'apaiser et à ne plus avoir peur du regard de l'analyste posé sur elle, des jugements dépréciatifs qu'elle croyait saisir dans ses yeux. Devenue moins confuse et moins agitée, elle peut parler d'elle et de sa très forte sensibilité.

Âgée d'une cinquantaine d'années, Milena est une femme très réservée, repliée sur elle-même, qui communique avec difficulté. Elle reste seule et rumine sans cesse ses déboires passés. Milena est très gênée lorsqu'elle parle d'elle. Elle se plaint d'avoir peu d'amis, cela l'attriste et lui manque. Elle exprime peu à peu un très grand besoin d'affection. Toute injustice la révolte et la blesse profondément. Lorsqu'elle était jeune, elle réussissait bien à l'école, jusqu'au jour où elle fut trop mise en avant par un professeur. Elle décida alors de ne plus sortir du lot et s'ingénia à ne pas trop réussir pour pouvoir rester invisible, fondue dans le reste de la classe. Milena a très peur des voleurs. Elle vérifie plusieurs fois si elle a bien fermé sa porte. Elle se reproche d'être maladroite et distraite, mais, surtout, elle s'en veut d'être si seule.

Milena garde sa sensibilité pour elle. Par pudeur, et parfois aussi par gêne ou par honte, elle ne veut pas la laisser entrevoir. Cette extrême réserve peut donner l'impression qu'elle est dure et fermée, alors qu'en réalité elle est tout le temps sur la défensive. Son plus grand désarroi concerne son manque de confiance en elle. Elle n'arrive pas à croire en elle et à s'accorder la moindre valeur.

Tchèque d'origine, Milena parle bien l'allemand et le russe. Cela lui a permis de travailler comme secrétaire pour une entreprise spécialisée dans les exportations de machines industrielles vers les pays d'Europe de l'Est. Milena n'aime pas du tout son travail. Il lui pèse. Elle qui est poète, elle se sent douloureusement en décalage avec le milieu dans lequel elle passe ses journées. D'autant qu'elle côtoie majoritairement des hommes et qu'elle a peur d'eux ; elle les trouve brutaux et sans délicatesse. Cette inadéquation entre son caractère, ses goûts aussi, et son environnement de travail est pour elle une source de déceptions répétées et de découragement. Elle craint de vieillir car elle se voit sans cesse remettre à plus tard la possibilité d'être heureuse, un jour, et ce jour ne vient pas. Milena pleure beaucoup. Elle semble s'enfoncer de plus en plus dans le désespoir et la désolation. Tout est à vif en elle ; tout semble lui faire de la peine. Elle n'en peut plus. Elle est à bout.

Une telle situation critique peut s'étendre sur quelques semaines ou quelques mois, ou perdurer pendant des années, laissant la personne exsangue, complètement épuisée.

5

SOURDES ANGOISSES
ET CRISES DE PANIQUE

« J'aurais voulu ne pas penser
aux heures d'angoisse que je passerais
ce soir seul dans ma chambre
sans pouvoir m'endormir. »

M. Proust

La plus ou moins grande capacité à ressentir de l'angoisse et à vivre cette angoisse sans la fuir est un signe important de notre degré de sensibilité. Plus une personne est sensible, plus elle percevra les différentes émotions qui la traversent. L'angoisse étant une émotion très intense, particulièrement douloureuse et souvent insupportable, nous pourrions facilement être tentés de l'éviter à tout prix. Certaines personnes réussissent très bien à se prémunir contre l'angoisse, au risque de ne plus être sensibles et de reporter la moindre de leurs angoisses sur les autres. D'autres, au contraire, plus ou moins régulièrement, souffrent d'angoisses très vives qui peuvent aller jusqu'à la panique.

Angoissés et révoltés

Nous avons vu que, dans certains cas et pour certaines personnes, les apparences peuvent être trompeuses.

Par exemple, pour Marc : cet homme très sensible avait réussi pendant de longues années à étouffer en lui toute forme de sensibilité, devenant même dur et cynique à l'occasion. Paulo, un homme très sportif d'une quarantaine d'années, est pilote de ligne. Bien que régulièrement taraudé par de très fortes angoisses, il se trouve curieusement parfois dans une situation similaire à celle de Marc. Il explique comment il peut en arriver là[1].

« Si une grande sensibilité conduit à beaucoup d'empathie, elle peut aussi être tellement insupportable qu'elle crée un fonctionnement de défense qui produit l'effet inverse : de l'insensibilité. Dans ce cas, je peux observer le monde et ses malheurs sans éprouver aucun sentiment. Comme un spectateur de l'irréel. Parfois avec de la dureté, parfois avec de la froideur. »

En effet, une personne ultrasensible peut chercher à se protéger en construisant de telles barricades contre ce qu'elle ressent qu'elle finit par ne plus rien ressentir, ou si peu. En étant à l'écoute de toutes ces personnes et en s'interrogeant avec elles, on peut constater qu'elles cherchent avant tout à émousser leurs sensations pour ne pas trop vivre les affres et les assauts de l'angoisse. En effet, quand elle est intense, l'angoisse devient particulièrement douloureuse et insupportable.

---

1. Les vécus humains sont complexes et parfois paradoxaux. Il est difficile de les décrire très exactement. Des mouvements contradictoires peuvent cohabiter au sein d'une même personne, donnant naissance à des conflits psychiques.

Paulo a trop bien connu, trop souvent et trop longtemps, cette douleur brûlante et lancinante de l'angoisse qui tenaille ou déchire l'intérieur de l'être. Plus particulièrement dans les moments de grande solitude. Très tendu physiquement, le visage parfois grimaçant, ses mâchoires sont souvent serrées, même la nuit dans son sommeil. Paulo perçoit comment, pour lui, l'angoisse s'intègre complètement au tableau de sa très grande sensibilité.

« Pour moi, être sensible correspond à percevoir le monde avec une acuité accrue et avoir l'impression de ressentir tout plus fort : les sentiments, les sens, l'environnement et même les autres (ce qu'ils sont, ce qu'ils disent, ce qu'ils vivent). Leurs états d'esprit visibles et parfois ceux qu'ils cachent. Pour moi, lorsque le lien avec une personne est fort, cela se passe aussi hors de la présence de la personne. Par-delà l'espace. La sensibilité est la porte ouverte vers l'empathie. »

D'ailleurs, malgré la fréquence de son apparition, Paulo ne considère pas l'angoisse comme « le pire ou le plus douloureux des sentiments ». Pour lui, la perte définitive d'un être cher ou le sentiment d'abandon, avec leur coloration de « mort » et de déchirement, le sont bien davantage. Selon ce qu'il vit, l'angoisse est destructrice par sa durée, mais pourtant moins violente que la perte ou l'abandon. Paulo a également remarqué qu'il perçoit un ressenti fort avec certains souvenirs, notamment ceux qui ont marqué sa vie. Ils sont imprégnés de sentiments vivaces. Ces souvenirs sont aussi vifs qu'au premier jour. Une image, un son, une odeur, une sensation sur la peau, une parole, une situation. Tout peut faire vibrer son être. La sensibilité semble particulièrement associée à l'amour sous toutes ses formes : amitié, relation amoureuse, relation avec ses enfants ou même amour du genre humain. Comme si les deux ressentis s'intensifiaient et s'accéléraient l'un l'autre, apportant aussi une plus grande clairvoyance.

« Il m'est arrivé d'aimer à la folie des femmes qui ne m'aimaient pas en retour. Plusieurs fois, en dehors de leur présence, je restais – malgré moi – en lien avec elle. Il m'est arrivé de percevoir ce qu'elles faisaient, allaient faire ou dire dans les heures qui suivaient (j'ai pu le vérifier à certaines occasions). »

Une grande sensibilité provoque l'invasion de sentiments forts. Parfois trop forts. En particulier lorsque l'émotion est en jeu. Ainsi, Paulo comme Marc ou Djamel sentent facilement les larmes embrumer leur regard. Leurs yeux, simplement humides ou parfois inondés, « cherchent à évacuer les émotions », comme l'explique Paulo. Du coup, la sensibilité peut sembler provoquer « une mise en danger face aux agresseurs du monde ». Paulo ressent alors une nécessité vitale de cacher sa sensibilité, de « revêtir l'armure et le masque de fer pour se protéger ».

« Alors ma sensibilité se transmue en souffrance d'être agressé, puis en souffrance de mentir, de ne pas être vrai, puisque je me replie sur moi-même ou que je porte un masque pour me protéger. »

Paulo est un homme honnête et intègre. Il est particulièrement révolté par les injustices, sous toutes leurs formes, contre lui, mais aussi contre les autres. Dans ces cas, il peut être très en colère.

« Être sensible, c'est souffrir plus fort, aimer plus fort, vivre plus fort, être touché par ce qui arrive, être plus près des autres, plus près du monde », résume Paulo.

Pour autant, Paulo ne considère pas qu'il est hypersensible. Il reconnaît qu'il est « sensible, c'est tout » ; contrairement à beaucoup de personnes autour de lui qu'il voit « se blinder » pour ne surtout pas montrer leur sensibilité, quitte à ne plus rien ressentir, à force de s'insensibiliser.

Inquiets, sans cesse

Une personne très sensible perçoit avec beaucoup d'intensité chaque changement de situation.
Ses réactions peuvent paraître disproportionnées avec la réalité apparente de l'événement. Elle se sent très souvent en insécurité affective et matérielle. L'insécurité et une forte émotivité rendent la personne plus vulnérable et plus réceptive à l'anxiété, l'appréhension, la peur ou l'inquiétude.

Une grande jeune femme très souriante, d'origine africaine, est étudiante en puériculture. Elle est sociable, d'un naturel avenant, très engagée dans son travail d'apprentissage auprès des jeunes enfants. Elle est très appréciée par ses amis. Volontiers perfectionniste, elle se fait facilement du souci. Elle est l'aînée de plusieurs frères et sœurs et s'occupe beaucoup d'eux. Cette belle jeune femme éprouve des difficultés à vivre sa sexualité et même à en parler. Intimidée, elle se sent gênée, confuse, mal à l'aise dès que ce thème est abordé. Elle l'évite.

« Pour l'instant, je mets ma vie entre parenthèses, j'aide ma mère qui a tout le temps à faire à la maison et qui travaille loin. C'est vrai que je m'inquiète très vite pour mes frères et mes sœurs. Si l'un est en retard de l'école, si l'autre se fait mal, dès qu'il se passe quelque chose d'inhabituel, je suis angoissée et rien ne peut me calmer. Oui, la routine habituelle me rassure. Tout ce qui est trop différent me perturbe. »

Alors qu'elle explique comment elle est dans sa famille, elle prend conscience que dans ses études et ses stages, elle se sent également très concernée par tout ce qui arrive aux enfants dont elle s'occupe. Elle joue et rit avec eux, mais a les larmes aux yeux dès qu'ils sont malheureux ou malades. D'ailleurs, cela lui arrive même de se faire trop de souci pour un petit qui ne va pas si mal que cela dans la réalité. La jeune femme se demande si elle n'est pas « trop nerveuse »...

« Parfois, mon cœur s'emballe et bat très fort, très vite, j'ai l'impression qu'il va éclater ou qu'il va sortir de ma poitrine. Lorsque j'ai peur, j'ai tout de suite besoin d'aller aux toilettes. Mes jambes tremblent, j'ai une sensation de vertige, comme si je n'allais pas pouvoir tenir debout. Je transpire beaucoup. J'ai du mal à respirer. Je ressens les pires angoisses quand j'attends une nouvelle ou un appel téléphonique qui ne viennent pas. Je crois que je vais devenir dingue ! »

C'est plus fort qu'elle, la jeune femme se fait du souci et se sent facilement dépassée par ce qui lui arrive. Pour autant, pleine de vitalité et de gaîté, elle constate peu après combien elle aime la vie, combien elle apprécie de danser et de chanter avec ses amies dès qu'elle en a l'occasion.

La jeune femme pleure facilement, autant lorsqu'elle est attristée par ce qui se passe pour elle ou arrive à un autre, proche ou non, que lorsqu'elle est heureuse, touchée par une bonne nouvelle, et plus particulièrement encore par la réconciliation de personnes qui s'étaient disputées.

La crainte de l'abandon

Parmi les angoisses qui peuvent assaillir les personnes qui se trouvent très sensibles, il y a la peur d'être trahi ou d'être trompé. Cette éventualité, souvent imaginaire, peut leur paraître absolument insupportable, comme parfois la seule absence de l'autre.

Éric est un homme très dynamique et tonique. Consultant reconnu dans sa spécialité, il aura bientôt quarante ans. Il aime travailler et consacre beaucoup de temps à ses activités professionnelles. Plein d'assurance et de détermination, Éric bénéficie d'une forte dose de bonne agressivité, cette vitalité combative qui aide à réussir. Grand sportif, il a même eu plaisir à courir plusieurs marathons, y compris celui de New York. Il y a un peu plus d'un an, Éric a vécu un événement particulièrement éprouvant dans un ancien travail, qui l'a frappé de plein fouet, comme une « déflagration ». Suite à cet incident, cet homme battant s'est écroulé intérieurement, mais aussi dans ses relations avec les autres, devenant tout d'un coup très vulnérable.

La confiance qu'il a en lui-même et en ses proches a été sérieusement entamée par cet effondrement : « Je ne suis pas quelqu'un de tranquille. Lorsque j'ai eu une journée difficile, il m'arrive de me réveiller dans la nuit et de ne pas pouvoir me rendormir avant une bonne heure », dit-il. Depuis, sa sensibilité est à vif, exacerbée, et des angoisses le tenaillent douloureusement pour un oui ou pour un non, particulièrement la peur d'être abandonné[1].

Depuis qu'il est tout petit, Éric s'efforce en permanence de bien faire pour être vu et reconnu par des parents très occupés. À quarante ans, il reste dans cet impératif vital du « toujours bien faire », en essayant même chaque fois, si possible, de faire encore mieux. De fait, petit à petit, il a pris l'habitude de tout prendre en main, de surveiller les uns et les autres, de contrôler leurs faits et gestes ; au travail comme en famille...

Cette tendance est particulièrement nette avec son épouse. Il lui reproche sa nonchalance et son laisser-aller, comme s'il devait tout faire pour elle, à sa place, et décider même des activités communes ou des discussions qu'ils pourraient avoir l'un avec l'autre. Souffrant de moments de discorde de plus en plus récurrents, Éric s'interroge sur cette difficulté dans leur relation.

« Ma femme est une personne qui a besoin de beaucoup de sommeil. Elle s'endort rapidement, dort d'une traite sans se réveiller et se réveille après moi. Cette nuit, elle s'est levée pour lire. J'ai senti une angoisse et ensuite j'ai commencé à me

---

1. S. Tomasella, *Le sentiment d'abandon*, op. cit.

poser des questions. Ces questions relèvent de la suspicion sur la raison pour laquelle elle se lève et ce qu'elle fait. Pour dire la vérité, je me demande souvent pourquoi elle ne me sollicite pas pour que nous fassions l'amour, même si j'ai admis que nous n'avions pas les mêmes besoins. J'ai plutôt donc tendance à avoir des pensées négatives au lieu de simplement me dire qu'elle lit ou regarde la télé... »

En fait, Éric prend peu à peu conscience qu'il a peur que sa femme ne le trompe. Cette crainte grandit en lui depuis quelque temps et commence à l'envahir au point de ne plus le laisser en paix. Pourtant, il sait rationnellement que ce n'est pas le cas. Que se passe-t-il pour lui ? La peur sous-jacente, mais persistante, d'être abandonné et trahi le fragilise profondément et le met souvent à vif.

« Pendant des années, je n'ai pas compris pourquoi certaines choses de la vie, qui peuvent paraître anodines à certains, me touchaient avec une profondeur particulière. Pour moi, la question de ma grande sensibilité est là : la profondeur avec laquelle les événements de la vie me touchent. En réalité j'ai toujours ressenti ce décalage. Je ne comprenais pas pourquoi certains événements me touchaient plus que les autres et moi-même j'identifiais que j'étais touché au-delà du raisonnable. »

Éric a conscience à la fois que sa sensibilité récemment mise à nu l'ouvre sur une autre dimension, notamment dans la manière de percevoir son environnement et les gens qui l'entourent. Il est devenu très réceptif à tout ce qui lui arrive, ce qu'il vit comme une disposition parfois invalidante.

« Je perçois plus les effets négatifs que les effets positifs de ma sensibilité. Ainsi, lorsque je suis face à une situation délicate entre deux personnes, je peux ressentir très profondément le malaise de la situation. Je comprends que c'est ma sensibilité qui est en cause. Ce malaise, je le ressens comme si j'étais à la place de l'une ou de l'autre des personnes en conflit. »

Très gêné par les émotions feintes, Éric détecte immédiatement le « mensonge des émotions » ; cela le place dans une situation délicate.

« Lorsque je suis face aux émotions (tristesse, conflit, joie, etc.), je les ressens comme si j'étais à la place des principaux protagonistes. Lorsque l'émotion est gênante ou négative, cela peut me mettre extrêmement mal à l'aise et parfois m'obliger à quitter le lieu dans lequel les protagonistes se trouvent. »

Éric affirme beaucoup souffrir de son incompréhension face à ses propres comportements, parfois excessifs, provenant de sa grande sensibilité.

« Dans le même temps, les personnes qui me connaissent me disent que j'ai une manière différente d'appréhender les choses, dans le sens d'une qualité. Par exemple, un de mes clients parle d'intelligence de la situation. J'ai mis du temps à me rendre compte que cela peut être dû à une sensibilité particulière. »

Parfois, Éric se trouve impulsif. Il regrette de ne pas parvenir à vivre en paix avec sa sensibilité, car ses émotions le dépassent et lui font dire ou faire des choses qu'il regrette après.

« Le moment où je me sens le plus sensible, même extrêmement sensible, est lorsque je fais face aux émotions des autres. Il peut s'agir d'une scène dans la vie réelle comme d'une scène à la télévision ou une fiction dans un film. Cela me touche énormément. D'ailleurs, j'adore les séries télévisées car pour moi il s'agit d'un concentré d'émotions les plus diverses et j'aime ressentir toutes ces émotions qui s'imposent à moi de manière forte, mais sans lien avec ma vie réelle. »

Du fait de sa sensibilité vigoureuse, Éric aime vivre à plein régime et ressentir tout de façon très intense, y compris ses grandes peurs actuelles : celles de l'abandon et de l'effondrement intérieur qu'il provoque. Cette intensité de la vie croquée à pleines dents, d'autres vont chercher à l'éprouver de façon plus sombre, dans une recherche morbide de malaise, de ce qui les met en danger ou tout simplement en restant enfermés dans la croyance qu'ils ne peuvent pas aller vraiment bien...

6

LA FASCINATION POUR LE PIRE

*« Il y avait en lui un bouffon amer
et autodestructeur qui sabotait
le travail des bonnes fées
penchées sur son berceau. »*

E. Carrère

L'hypersensibilité peut se manifester dans des domaines très variés. Les formes qu'elle revêt sont nombreuses. Elle peut être corporelle et concerner le froid, le chaud, les odeurs, les parfums, les bruits, telle musique, tel aliment, etc. Elle peut être émotionnelle et sentimentale. Elle se manifeste alors en fonction des situations vécues dans les relations, notamment affectives. Elle peut être morale : certaines croyances, coutumes ou pratiques semblent inconvenantes, sont violemment critiquées ou rejetées. Elle peut également être mentale : ce sont alors certaines idées ou représentations qui paraissent insupportables, comme par exemple la maladie ou la vue du sang (ce n'est pas le sang en lui-même qui fait paniquer, mais ce qu'il représente : la blessure, l'effraction, l'intériorité du corps, la possibilité de la survenue soudaine de la mort)...

Bilieux et ombrageux

Éducateur spécialisé auprès d'enfants handicapés, Yacine est un homme encore jeune qui paraît plus vieux que son âge : très sérieux et d'une grande maturité, ses cheveux commencent à grisonner et son visage est un peu jaune. Ses difficultés à digérer lui font craindre d'être malade : il croit qu'il est en train de développer un cancer digestif que les médecins ne décèlent pas encore. Il a souvent l'impression de ne pas être entendu et soigné, en tout cas pas comme il le souhaiterait.

« Je me rends bien compte que je suis impossible à rassurer. Du coup, je suis tout le temps chez un médecin ou chez un autre. Je vais d'un avis à un autre. Je m'y perds et cela me perturbe encore plus. Je me suis enfermé dans une spirale dont je n'arrive pas à sortir : plus je consulte de médecins, plus j'ai besoin d'en consulter. Maintenant, je me suis même mis à demander l'avis de médiums et de voyantes ; je ne me supporte plus ! »

Yacine se décrit lui-même comme un homme peureux, borné, volontaire, peut-être même autoritaire. Il est très sédentaire et n'aime pas faire de sport, alors qu'il sait que bouger et prendre l'air lui font le plus grand bien. Yacine est paradoxal. Il est timide et, en même temps, il reconnaît qu'il est très ambitieux, orgueilleux, qu'il veut réussir tout le temps et qu'il n'apprécie pas d'être dépassé.

« Je ne supporte pas de ne pas être le premier. Je souffre surtout lorsque je me retrouve avec beaucoup de monde. J'ai horreur des discussions houleuses. Quelquefois, j'arrive à les surmonter, mais c'est très difficile. En ce qui concerne mon travail, je l'ai choisi parce que je travaille seul, que personne ne me dit ce que j'ai à faire et que je suis forcément en position de supériorité par rapport aux enfants handicapés : cela me rassure. Ils ont besoin de moi. Je suis à l'aise avec eux parce que je sais que je leur apporte de l'aide. »

Malgré son air sévère et sa vivacité d'esprit, Yacine n'a pas du tout confiance en lui. Cela lui arrive de pleurer lorsque quelqu'un le félicite. Il est très réservé et solitaire. La seule compagnie qu'il accepte vraiment est la présence silencieuse d'une personne chère qui le réconforte et l'encourage, sa compagne notamment. Comme il est particulièrement susceptible, il évite d'autant plus les discussions ou les situations où il pourrait être critiqué et remis en cause.

Petit à petit, en parlant du choix de son métier et en prenant le temps d'y réfléchir, Yacine perçoit qu'il a construit une croyance concernant son identité et son travail autour de la douleur et du sacrifice. Selon lui, seul ce qui est difficile a de la valeur et, même, seul ce qui est douloureux est réel. Sans cette dimension de sacrifice et de douleur, ce qu'il vit ne lui semble pas digne d'exister.

« Je suis intrigué par ma sensibilité, affirme-t-il. Je me demande pourquoi j'ai une telle fascination pour le pire, pour le malheur et pour la maladie. Je me rends compte que je cherche systématiquement à vivre des situations difficiles. J'essaie de voir jusqu'où l'autre peut aller, et jusqu'où je peux supporter. Comme si c'était un défi ! »

L'intensité de la souffrance qu'il s'inflige ou qu'il endure, la force du malheur de ceux qu'il aide ne sont pas qu'une forme de jouissance cachée pour Yacine. Il comprend qu'elles sont aussi l'occasion de vivre une sensibilité extrême qui ne le laisse pas en repos et qui le pousse vers certains excès.

Cette recherche de l'intensité peut conduire à l'usage de drogues (médicaments et stupéfiants), mais aussi au sport à outrance ou à une sexualité effrénée. Si certaines personnes très sensibles ont peur d'une maladie organique, souvent imaginaire, d'autres craignent pour leur santé mentale...

La peur de devenir fou

Derrière une apparence très enfantine, Sonia cache de très grandes fragilités. Cette femme d'une quarantaine d'années est institutrice. Son aspect extérieur est sombre, terne, raide parfois. Très à l'affût des faits divers violents, même sanglants ou sordides, Sonia craint tout le temps le pire. Elle est maigre, méticuleuse et rangée. Son teint est pâle et ses yeux sont cernés. Une grande tristesse perce derrière une apparente jovialité, souvent feinte. Bien adaptée socialement, Sonia ne s'autorise à « craquer » que lorsqu'elle est seule. Elle se plaint d'une grande fatigue, une lassitude d'exister : « je ne sais pas ce que je fais là », dit-elle fréquemment. Elle a constamment mal au dos.

« Je vis chaque événement avec beaucoup d'intensité. Lorsque je suis fatiguée ou contrariée, un rien peut me bouleverser. Cela me perturbe encore plus. Je me rends compte aussi que je suis lente. J'ai besoin de plus de temps que les autres pour observer attentivement les situations et surtout pour réfléchir avant d'agir. »

Sonia exprime avec angoisse qu'elle a très peur de la folie. Elle précise qu'elle est instable. Elle a souvent l'impression qu'une digue en elle pourrait soudain se rompre ou qu'elle pourrait basculer de l'autre côté de la réalité. Elle fait souvent l'expérience de brusques « sautes d'humeur », elle change de disposition tout d'un coup. Elle se sent en feu, sur les nerfs. Récemment, elle est tombée amoureuse d'une femme plus jeune qu'elle. Elle en est très émue et toute bouleversée.

« On a la même peau, c'est bon, c'est fort. Je suis partie dans les nuages ! Je m'emballe. Je ne dors plus. Je suis à bout. J'ai tout le temps besoin de la voir. Je suis avide, impatiente. J'ai besoin de tout dire, de tout montrer. Je n'arrive plus à rien retenir. Je ne la vois qu'une fois par semaine. Pour moi, ce n'est pas assez. J'ai envie de lui parler. Quand je suis amoureuse, cela me fait souffrir... Pourquoi ? J'ai peur qu'elle m'échappe. Je suis capricieuse ? Je veux tout, tout de suite. Quand je ne la vois plus, c'est comme un feu d'artifice qui s'arrête : après, c'est le vide ; j'aurais envie que ça continue encore et encore. Je suis insatiable. L'instant présent ne me suffit pas. J'ai l'impression d'exister seulement quand je suis avec elle. Tout le reste est une perte de temps. »

Lorsque son psychanalyste l'interroge sur cette dépendance fusionnelle qui la met sans cesse dans l'urgence, Sonia lui parle du rythme frénétique qui l'agite intérieurement. Cela la rend avide (boulimie) de tout ce qui est physique : de nourriture, de drogue, de sexualité, etc. Au contraire, lorsqu'elle est contrariée, elle est très vite désespérée et se restreint à l'extrême (anorexie). Elle alterne un extrême et l'autre.

Sonia exprime ses grandes difficultés à canaliser ses émotions. Elle est dépassée par ces forts changements d'humeur qu'elle ne s'explique pas et qui peuvent la rendre très désagréable, mauvaise avec les autres et injurieuse. Elle se sent incapable, inférieure à ses proches, et souffre d'une très mauvaise estime d'elle-même. Elle a souvent une peur panique de se noyer. La simple vue de l'eau peut déclencher une angoisse intense... Sonia passe vite de l'exaltation au désespoir, ou sinon à la colère, par des accès de rage furieuse, qui l'alarment sur sa santé.

« J'ai peur de devenir folle. De plus en plus souvent. Devant les autres, je me contrôle : rien ne transparaît. Je sais très bien faire semblant. Pourtant, au fond de moi, je suis très inquiète. Je suis à bout. Je ne supporte plus mes moments de crise. Cela se passe presque tout le temps quand je suis seule ou plus rarement avec une personne très proche. Cela revient presque au même pour moi : dans ces cas-là, je me sens seule aussi, comme si l'autre faisait partie de moi. Cela peut devenir insupportable. Mes crises sont particulièrement destructrices : je casse, je crie, je me mutile, je me frappe ou je tape ma tête contre un mur. Dans ces moments-là, je me hais ! »

Sonia exprime avec difficulté qu'elle se sent surveillée, et souvent même persécutée, par les hommes surtout, mais aussi par les femmes plus âgées qui lui font penser à sa mère. Elle se plaint de ne pas être comprise par son entourage. Elle insiste sur son immense fatigue, qu'elle « traîne comme un fardeau jour après jour » et se demande pourquoi elle vit encore...

Sans cesse aux aguets

Très sociable et plein d'enthousiasme, Aurélien est un jeune professeur de philosophie d'une trentaine d'années. Il se présente comme un « être très sensible ». Il a beaucoup de mal à supporter le bruit, l'agitation, les odeurs et même la fumée. Il lui arrive d'être particulièrement susceptible, vivant très mal la moindre remarque désagréable. Aurélien a très souvent peur de mal faire : il se remet en cause systématiquement et a besoin d'encouragements. Par moments très enjoué, il peut aussi vivre des périodes de forte anxiété. Alors, il se fait beaucoup de souci, surtout dans ses relations affectives. D'ailleurs, pour lui, la plus grande partie de ses relations est fortement teintée d'affectivité. Il a peur de ne plus être aimé, et même parfois d'être abandonné. Dans ces phases-là, Aurélien dort peu, il devient très vigilant, par crainte de vivre un malheur. Il a même de la peine à respirer, se sent oppressé, une sensation de boule dans la gorge, etc. Il perçoit qu'il est alors tout le temps sur le qui-vive, même s'il essaye de se raisonner. Les insomnies renforcent sa fragilité : il devient alors irritable.

« Je crois que je suis hypersensible », affirme Aurélien avec hésitation. « Une amie m'a parlé de cela il y a quelque temps. Je ne comprenais pas ce que cela voulait dire tant que je le considérais comme une faiblesse, une sorte de maladie honteuse ou un handicap dégradant... C'est vrai aussi que certains de mes collègues ne le vivaient pas bien. Ils arrivaient parfois à se moquer de moi. Ils me reprochaient mon intolérance à certaines idées et surtout à certaines situations. Par exemple, l'un d'eux me traitait même de chochotte parce que je n'apprécie pas que l'on me touche par surprise ! Pourtant, je trouve que ma grande sensibilité a vraiment du bon. Pas seulement pour mon métier d'enseignant. J'aime les autres, je suis attentif à ce qu'ils vivent et j'apprécie tout particulièrement l'art, la beauté, la créativité... la nature aussi. »

Vulnérables et autocritiques

Aurélien se décourage facilement ; cette vulnérabilité peut l'entraîner dans des moments de grand abattement ou même de désespoir. D'autant qu'il bénéficie d'une perception aiguisée de la disposition des autres à son égard. Leur avis compte beaucoup pour lui. Cela le rend nécessairement plus hésitant et prudent dans la vie sociale. Un jour, lors d'un conflit à propos d'un projet commun, une collègue l'a traité de « pervers narcissique » ! Aurélien a été surpris et chagriné par cette appellation. Au début, il a même voulu y croire, s'accusant des pires maux. Puis, il a pris le temps de se renseigner sur ce qu'elle signifiait et a même lu un livre sur ce type de personnages. Avec l'honnêteté qui le caractérise, il a pu convenir que certains des comportements décrits ne lui étaient pas étrangers, mais – tout de même – sur le fond, d'autres éléments lui semblaient ne pas lui correspondre. Comment savoir ?

« Je ne sais pas pourquoi ma collègue m'a traité ainsi. Pour être sincère, cela me rend malheureux. Je suis peut-être un "pervers narcissique". Sauf que j'ai de l'empathie pour les autres. Alors, je n'y comprends plus rien. Je suis même très sensible. Certains trouvent d'ailleurs que je suis trop sensible. »

Quelque temps plus tard, Aurélien a pris de la distance avec l'étiquette que lui avait collée sa collègue, un peu précipitamment. Le découragement qui s'en est suivi et les reproches qu'il s'adressait à lui-même ont laissé la place à plus de distance et de sérénité. Il s'est recentré sur sa sensibilité singulière et la chance de percevoir le monde de façon si fine et intense, même si parfois cela l'amène à être véhément lorsqu'il n'est pas d'accord. Sa vitalité et son humanité s'expriment de façon singulière et complexe, certes, mais pas au détriment des autres, bien au contraire...

Chacun de nous perçoit la vie, le monde et les autres selon son propre prisme et à travers son propre filtre. L'un et l'autre, largement inconscients, peuvent être déformés, notamment par de mauvaises lectures[1] ou par les influences morales de l'enfance[2], donc déformants. Ce prisme et ce filtre personnels peuvent conduire à des croyances erronées et à de fausses interprétations dont

---

1. L'influence encombrante, voire néfaste, d'une certaine presse et littérature psychologique est de plus en plus nette, en grande partie parce que de très nombreux auteurs ont la malhonnêteté de se présenter comme des « spécialistes », des « experts », des maîtres à penser, ce qui est déjà une forme de manipulation mentale grave. Dans la réalité, personne d'autre que soi ne peut savoir ce qu'il en est pour soi-même. Sans compter que tous ces auteurs ne sont des modèles en rien : ils ne vont pas mieux et ne sont pas plus équilibrés que vous et moi...
2. S. Tomasella, *Le surmoi – Il faut, je dois*, Eyrolles, 2009.

les conséquences peuvent être dommageables pour soi, pour l'autre autant que pour la relation[1].

Tous les jugements, plus ou moins durs, qui circulent sur la forte sensibilité des uns ou des autres ne sont donc que le produit de ces zones obscures de nous-mêmes où la différence nous fait encore trop peur pour que nous puissions nous y confronter durablement et sereinement. Ainsi, en ce qui concerne notre recherche sur la sensibilité, tous ces jugements, quels qu'ils soient, sont à éviter afin qu'ils ne viennent pas perturber ou obscurcir notre discernement.

Récapitulatif des manifestations de l'hypersensibilité

Souvent, la personne « hypersensible » peut en arriver à craindre – à tort – d'être « anormale » ou « folle ». Il est vrai que certaines personnes de son entourage peuvent chercher à le lui faire croire, car elle ne correspond pas aux canons et aux « standards » de la société. De ce fait, elle dérange les ordres établis ou simplement les habitudes sociales, ce qui peut lui être reproché. Plus grave, il arrive encore trop fréquemment de stigmatiser les individus très sensibles en confondant les manifestations de leur vitalité humaine avec des « symptômes » et en les rangeant trop hâtivement dans des catégories « psychopathologiques ». Ces deux attitudes sont des erreurs du point de vue scientifique, mais elles correspondent surtout à des « défenses », à des comportements qui visent à se débarrasser d'une difficulté ou d'une différence en les condamnant, pour ne pas avoir à s'y confronter et à

---

1. S. Tomasella, *Le transfert, op. cit.*

prendre le temps de les appréhender avec humilité pour chercher à les comprendre.

La seule attitude rigoureuse et honnête est de rester dans le champ de l'observation, hors de tout jugement. Rappelons donc les expressions ou les signes les plus fréquents d'une grande sensibilité :

• Rechercher l'authenticité.

• Apprécier la beauté, et plus particulièrement la beauté de la nature.

• Se réjouir du bonheur des autres. Être sociable, joyeux, enthousiaste.

• Être affecté par les souffrances, les malheurs et les détresses d'autrui.

• Percevoir tout sans filtre, sans protection. Être perméable à tout.

• Sentir monter des bouffées d'émotion imprévisibles.

• Vouloir tout le temps faire plaisir aux autres.

• Avoir peur de décevoir et peur d'être rejeté.

• Avoir besoin de temps pour réfléchir et de solitude pour se retrouver.

• Être dépendant de l'affection d'autrui et avoir peur d'être abandonné.

• Être à vif, susceptible, facilement irritable et contrarié.

• Se sentir profondément déstabilisé par les critiques et la contradiction.

• Être rapidement submergé par la honte.

• Se sentir coupable pour presque rien.

• Être soudainement pris de panique.

• Être sur ses gardes. Se croire maudit ou persécuté.

• Rechercher le silence, la lenteur et le calme.

• Éviter les disputes et les conflits.

• Chercher à se cacher, se replier sur soi, fuir les autres.

• Sentir son identité vaciller pour des motifs apparemment anodins.

- Avoir une mauvaise conception de soi-même et une faible estime de soi.

L'hypersensibilité se caractérise donc par la conjugaison de plusieurs dispositions personnelles telles que :
- La délicatesse, la fragilité, l'émotivité, mais aussi l'originalité, la créativité, la subtilité.
- L'intensité des ressentis, la précision des perceptions, la finesse des intuitions.
- L'empathie, la compassion et l'attention portées à autrui.
- Une grande pudeur, une timidité prononcée ou une réserve marquée.
- Le désenchantement, la nostalgie, la lassitude, le découragement, le doute.
- La susceptibilité, l'irritabilité, le refus des contradictions ou des critiques, les colères.
- L'angoisse, l'anxiété, l'inquiétude, le souci pour soi ou pour les autres.
- L'impression de plaie à vif, d'hémorragie permanente, de qui-vive...

Bien évidemment, la plus grande part de ces caractéristiques se retrouve chez tout être humain doué de sensibilité. Ce seront donc la façon de vivre ces caractéristiques, l'intensité avec laquelle elles sont éprouvées et l'évaluation – faite par telle ou telle personne – qui pourront infléchir la conception de sa sensibilité vers une forme d'hypersensibilité, plus ou moins bien acceptée. Aussi est-il nécessaire d'aller explorer les expériences de vie très diverses qui sont à l'origine des phénomènes regroupés sous le terme d'*hypersensibilité*.

Deuxième partie

Les nombreuses sources de l'hypersensibilité

Il existe autant de formes d'« hypersensibilité » que de personnes dites « hypersensibles ». Nous découvrirons donc de multiples origines à ces sensibilités exacerbées. Là encore, il convient de se méfier des apparences et d'éviter les raccourcis dommageables.

Blessures d'enfant, fragilité de la peau et des contours de l'être, poids des conventions sociales, exigences familiales, traumatismes ou encore systèmes d'emprise, aucune piste n'est à négliger ou à exclure, tant les sources de nos hypersensibilités sont parfois obscures.

7

SE GARDER DES PRÉJUGÉS

> « *Nous sommes tenus à certains lieux*
> *par des attaches invisibles.* »
>
> O. Redon

Très tôt, S. Freud a mis en évidence que les phénomènes psychiques sont particulièrement complexes et, surtout, qu'ils sont « surdéterminés ». Ils ont plusieurs sources ; quelques-unes incertaines ou mystérieuses peuvent demeurer obscures, voire inconnues. L'hypersensibilité ne fait pas exception. Nous trouverons parfois des origines extérieures et intérieures identifiables, parfois non. Souvent, les personnes qui s'interrogent sur les sources de leur très grande sensibilité en restent à des questions sur elles-mêmes et sur leur histoire, sans pouvoir trancher avec netteté.

Dans cette exploration des profondeurs à la recherche des origines, trois précautions s'imposent.

• Il n'est pas nécessaire de certifier les causes d'une forte sensibilité, comme par exemple dans un film d'Alfred Hitchcock, où la découverte de l'événement traumatique vient expliquer à la fin, comme par magie, les comportements étranges du personnage principal[1].

---

1. Voir *La maison du docteur Edwardes* (1945), *Pas de printemps pour Marnie* (1964), etc.

Le plus important pour les personnes qui souffrent d'une sensibilité qu'elles trouvent excessive est bien d'apprendre à l'apprivoiser avec bienveillance, surtout si elles se considèrent comme « anormales », « coupables » ou « trop différentes des autres ». La recherche des origines possibles est un moment de ce mouvement intérieur d'apprivoisement de soi et de sa sensibilité particulière, car il permet aussi de donner un sens personnel à son histoire. Par là, il aide à mieux accepter d'être *singulier* donc différent.

• Il est important de ne pas en rester aux formes apparentes, qui sont trompeuses, et de ne pas faire de supposition : nous imaginons trop facilement les autres sur le modèle de notre propre monde intérieur et de nos expériences. D'autant que des situations semblables peuvent découler de *motivations* diverses. Prenons un exemple tout simple. Deux femmes éprouvent des difficultés à accepter qu'un homme soit mal rasé. Toutes deux le vivent comme une réalité « insupportable ». Pour l'une, ce dégoût la renvoie à une habitude de paysans qui ne se rasaient qu'une fois par semaine, alors qu'elle a fait une ascension sociale rapide et se sent très mal à l'aise avec son milieu d'origine. Pour l'autre, cela lui rappelle les sensations liées à l'inceste paternel, lorsqu'elle sentait les poils durs du visage de son père râper son entrejambe de petite fille. Pour un dégoût apparemment identique, il existe dans cet exemple deux origines complètement différentes...

• Pour aller de plus en plus vers soi-même, il est vital de laisser peu à peu les explications toutes faites et les idées des autres, même si elles sont très répandues (autour de soi, au travail, dans les médias) ou semblent faire autorité. Les écrits des psychistes ne sont en aucun cas des garanties de quoi que soit : un auteur écrit à partir de son expérience personnelle d'être humain limité et de praticien ordinaire. Il peut même être entraîné à généraliser son propos à partir de sa conception du monde, de la vie, de l'autre qui dépend étroitement de sa problématique personnelle et de ses fantasmes. Tout cela ne peut donc pas nous aider vraiment. Il convient donc, à chaque fois, de *partir de soi* et de chercher à employer des termes précis, des mots signifiants, qui ont du sens pour soi.

Une fois posées clairement ces trois précautions fondamentales, nous pouvons retrouver les témoignages de personnes qui se sont interrogées avec sincérité sur leur grande sensibilité. À travers ces récits de psychanalyse, nous parviendrons peut-être à discerner plus clairement les origines possibles de telle ou telle forme d'hypersensibilité.

8

ENTRE RÉVOLTE, SATURATION ET INCOMPRÉHENSION

*« Je suis si stupéfait
que je ne suis pas attentif
à ce qui se présente à moi
par la suite. »*

A. Appelfeld

Une des premières sources d'exacerbation mal vécue de la sensibilité provient simplement du dépassement d'un seuil qui correspond à ce qui, pour chacun, est la limite entre ce qu'il est possible de supporter et ce qu'il n'est pas possible (ou ne semble pas possible) de supporter. Au-delà de ce qui nous est supportable, nous pouvons devenir intolérants : à la douleur, à la lumière, au bruit, au travail, au changement, à la réflexion, à la présence de l'autre, sa parole, son odeur, etc. Nous pouvons perdre patience et nous sentir envahis d'émotions incontrôlables. Ce seuil de tolérance est d'autant plus bas que nous sommes fatigués, saturés, surmenés ou déjà affectés par une épreuve (deuil, au sens très large, notamment). À plus forte raison, notre capacité de tolérance sera faible si nous ne parvenons pas à surmonter les frustrations inévitables qui se présentent à nous au quotidien.

À partir de ce que j'entends chaque jour au fil des séances, je constate que pour nos contemporains une des choses les plus difficiles à supporter est la frustration, quelle qu'elle soit. La frustration, le manque et la perte semblent insurmontables et cette impression pousse à chercher des dérivatifs, chaque fois insatisfaisants. La course frénétique pour pallier la frustration est épuisante et vient révéler à un moment ou à un autre son poids d'absurdité. Elle est pourtant entretenue par un monde centré sur l'apparence et la consommation. Il existe de plus en plus d'injonctions sociales à se montrer, notamment sur les réseaux sociaux virtuels. Cette tyrannie du paraître ne cesse de croître.

Fréquemment, dans le monde du travail, ce sont ceux qui savent se rendre visibles qui progressent, au détriment de personnes plus compétentes mais plus discrètes. Certaines situations injustes sont entérinées par des voies plus ou moins officielles, alors que la révolte contre l'injustice est facilement empêchée, hâtivement assimilée à de la « mauvaise volonté » ou à du « mauvais esprit », sans compter – là encore – l'utilisation abusive d'étiquettes issues de la psychopathologie pour faire taire les plus récalcitrants. Certains ne voient alors d'autre issue que la démission, ou même le suicide, pour exprimer leur désaccord ou crier leur désespoir. Bien sûr, pour beaucoup, les injustices rencontrées dans la vie viennent réveiller ou faire écho à celles vécues dans l'enfance...

Révolté contre l'injustice :
l'enfant transparent

Parmi les situations qui engendrent un découragement ou une fragilisation source d'hypersensibilité, se trouve au premier rang l'abattement ou l'indignation contre les injustices.

Très sensible, parfois susceptible pour un rien, volontiers coléreux et souvent à bout de nerfs, Yaël a beau chercher à « se raisonner » ou à « prendre sur lui », il n'arrive pas à accepter l'injustice. Cet homme débordant d'énergie et d'idées est un grand généreux. Après quelques années de travail dans une société où beaucoup de situations d'injustice le révoltaient, Yaël a préféré partir pour créer sa propre entreprise. Il en est très heureux et son affaire est florissante. Pour autant, même s'il est « son propre maître à bord », cela ne l'empêche pas de rencontrer des situations pénibles avec ses fournisseurs, ses clients ou ses collaborateurs. Il craque alors sans raison. Confronté à sa singularité, Yaël cherche à mieux comprendre sa vive sensibilité.

« Depuis que je suis tout petit, je me rends compte que je ne supporte pas la moindre injustice. Déjà à l'école maternelle, je me souviens que j'étais très triste lorsque la maîtresse n'était pas juste avec l'un d'entre nous. Quelques années plus tard, je me souviens d'une petite fille qui était vraiment le souffre-douleur de l'institutrice : elle lui en faisait voir de toutes les couleurs. Elle la rabrouait, se moquait d'elle et l'humiliait régulièrement. Cela me rendait très malheureux pour cette petite fille. Elle est peu à peu devenue mon amie. J'essayais de la consoler comme je pouvais... »

Nous nous sommes demandé si Yaël n'avait pas vécu aussi des injustices dans sa famille. Les souvenirs de ce qu'il avait connu avec ses parents furent beaucoup plus longs à revenir. Yaël avait fortement idéalisé les siens. Peu à peu, surmontant ses réticences, il se souvient qu'il avait très tôt orienté ses intérêts et son énergie vers l'extérieur de sa famille. Pour quelle raison ?

Yaël avait constaté le peu d'intérêt que ses parents lui portaient, en comparaison de celui qu'ils témoignaient envers son frère et sa sœur, par exemple. De ce fait, il avait dû essuyer beaucoup de petites et grandes injustices tout au long de son enfance et de son adolescence. Il s'était fait une raison, se disant que sa petite amie de l'école était bien plus malheureuse que lui et qu'il n'avait pas à se plaindre : elle lui avait appris que ses parents la tapaient. Yaël se sentait soulagé que ses parents à lui ne fassent que l'ignorer et soient assez bons pour ne pas le taper. Puis, surtout, Yaël adorait aller jouer au foot. Il avait beaucoup de copains. En dehors de la maison, il était heureux et oubliait vite ses déceptions familiales. Pourtant, au fond de lui, elles ne faisaient que s'accumuler et le rendaient de plus en plus sensible aux injustices, de plus en plus « à vif ». Il sentait parfois les larmes monter à ses yeux pour une raison qui pouvait sembler anodine à d'autres, et cela l'inquiétait. Néanmoins, comme à son habitude, Yaël repoussait d'un revers de la main ses questions sur lui-même et allait de l'avant.

Devenu adulte, l'accumulation des émotions avait peu à peu créé un trop-plein que Yaël avait maintenant bien besoin de libérer en parlant librement de lui et de ses ressentis. Sa recherche sur lui-même lui révéla notamment une des raisons pour lesquelles ses parents l'avaient délaissé au profit de ses puînés. Il n'était pas le fils de son père, mais d'un amant occasionnel que sa mère avait connu peu de temps avant son mariage. Les deux parents auraient bien voulu oublier l'épisode de leur jeunesse qui avait failli les séparer, mais la seule présence de Yaël semblait les y ramener inexorablement. Prenant du recul et comprenant mieux la situation de l'époque, Yaël considéra ses parents différemment. Il se sentait déjà mieux, plus en paix avec sa sensibilité particulière. Restait encore à élucider sa susceptibilité irrépressible et ses colères imprévisibles !

Surmenage et débordements

D'une certaine façon, à moins d'être radicalement replié sur soi-même et coupé du monde (ou complètement insensible), chacun de nous peut connaître des moments d'exacerbation de sa sensibilité : accident, choc, mauvaise nouvelle, rupture affective, mais aussi bouleversement hormonal (menstrues, grossesse, ménopause pour les femmes), maladie, etc., ou tout simplement une forme de saturation plus ou moins prononcée face à la surinformation à laquelle nous sommes confrontés au quotidien. Sans compter que la fatigue, surtout si elle perdure, fragilise notre système immunitaire (nos défenses) et nous laisse bien plus désemparés face à des informations que nous saurions situer à leur juste place habituellement.

Nous vivons une époque de saturation. Les pollutions sont de toutes sortes : sonores, visuelles, lumineuses, publicitaires, idéologiques aussi, sans compter les nuisances industrielles et urbaines. Elles engendrent fatigue, tension, usure même. Par ailleurs, la chance de vivre dans un monde sans frontières, multiethnique et multiculturel, qui offre un enrichissement considérable des usages, des coutumes, des conceptions, peut aussi constituer un motif d'incompréhension, de blocages ou de conflits, et contribuer à nous fragiliser sur nos repères, nos croyances ou même nos façons de faire. Nous sommes en perpétuel recommencement de nous-mêmes, comme si – contrairement à nos ancêtres – nous ne pouvions pas nous contenter de quelques certitudes rassurantes, solidement établies pour une vie entière. Tout bouge autour de nous et nous bougeons avec, sans cesse ! Tout cela nous rend plus vulnérables...

Un soir, après son travail, Milena arrive épuisée chez son psychanalyste. « Je n'en peux plus. Je n'y arrive plus. Je me sens débordée. Je sature. Je voudrais me coucher et dormir, ne plus me réveiller. Je suis à bout. » Milena travaille beaucoup. Son temps de transport en commun est long, avec les aléas des trains supprimés et des trains bondés qui suivent. Quand elle doit se rendre à l'étranger, les transports et les nuits à l'hôtel la fatiguent beaucoup également. En ce moment, son patron la réprimande pour des riens. Ses collègues aussi sont à cran. L'entreprise a perdu un client important et tout le monde craint pour son emploi. Dans ces moments-là, lorsqu'elle perçoit plus nettement ses fragilités, Milena devient particulièrement sensible : un rien la blesse ; elle se braque, boude ou éclate en sanglots. Elle perd confiance en elle et voudrait tout laisser tomber...

Des circonstances éprouvantes peuvent réveiller une ancienne douleur jusque-là contenue ou enfouie. Sommes-nous pour autant « hypersensibles » ? Non, pas forcément. Encore une fois, aucune étiquette n'est nécessaire ; aucune catégorie n'est utile. Nous traversons simplement un moment délicat. Notre mémoire est vivante. Elle peut être ravivée par des événements récents. Les digues qui retiennent les souvenirs âpres peuvent être submergées ou fragilisées. Notre mémoire, pour une grande part inconsciente, fonctionne aussi par *associations libres*[1]. Une sensation, une image, un mot, un geste ou une situation peuvent faire écho en nous à des expériences vécues autrefois et ranimer leur souvenir. Nous voilà alors submergés à la fois par le présent et surtout par un passé mystérieux : plus vulnérables, plus à vif, plus à fleur de peau que d'habitude !

Soudain nous sommes impuissants : pour un temps que nous ne maîtrisons pas, sans savoir pourquoi, sans pouvoir revenir en arrière, entraînés que nous sommes par le flot de la vie qui pulse et s'ébroue en nous...

Illégitime, sans reconnaissance : l'enfant abandonné

Nous sommes souvent confrontés à nos incapacités ou à nos impuissances. Nous avons bien du mal à les accepter. Cela nous rend sourcilleux et pointilleux avec nos limites, que nous refusons d'admettre. Nous pouvons ainsi devenir malades de prétention et d'efficacité. Nous en voulons toujours plus. Nous nous agitons alors sans cesse, nous nous activons dans tous les sens. Nous attendons qu'un jour, peut-être, une bonne âme nous dise avec compassion : « Tu as fait de ton mieux, tu as

---

1. S. Tomasella, *L'inconscient*, Eyrolles, 2011.

fait tes preuves, détends-toi, pose-toi, repose-toi, tu n'as plus besoin de courir ! »

La peur tapie au fond de nous pourrait bien être celle de ne pas être reconnus pour qui nous sommes, et surtout d'être délaissés ou rejetés, si notre entourage ou une personne importante à nos yeux nous considéraient sans valeur ou trop peu intéressants.

Souvent, Éric peine à prendre du recul avec ce qu'il vit. Cette difficulté à *créer de la distance* avec l'expérience vécue et les émotions qui en découlent est une origine majeure de ce que beaucoup décrivent pour expliquer leur « hypersensibilité ».

Lors d'une réunion familiale, il va comprendre ce qui se trame en lui, à partir d'un drame qu'il avait complètement oublié.

« Depuis samedi dernier, je ressens une sensation de rejet vis-à-vis des autres, y compris de mes plus proches. Nous avions une fête de famille samedi, je m'y suis rendu sans grand plaisir. Une fois sur place, je n'ai ni eu l'envie ni trouvé la force d'aller vers les autres. Mes parents étaient présents, mais je n'ai pas eu envie de leur parler. Moi, qui d'ordinaire suis participatif à ces fêtes, je n'avais pas envie d'aller vers les autres. »

Cela fait longtemps qu'Éric ne se sent pas à l'aise avec ses parents, en décalage avec leurs préoccupations et, surtout, amer de si peu les intéresser. Éric raconte alors à son psychanalyste un rêve au cours duquel il est délaissé par ses amis. Pendant qu'il parle, vient une image au thérapeute, qui la traduit ensuite à peu près par ces mots : « Vous ressentez une trahison, comme si vous leur aviez confié une part de vous-même et qu'ils partaient avec, sans vous la rendre. Vous vous sentez dépossédé de vous-même. » Cela permet à Éric de dire à quel point il reçoit peu de gratitude en retour de tout ce qu'il fait pour les autres. Cette situation dure depuis sa plus tendre enfance. Éric avait très longtemps essayé d'aplanir les difficultés familiales. Il avait fait de son mieux pour aider ses parents et sa sœur aînée, il avait aussi appris très tôt à se débrouiller par lui-même, sans que ses proches lui en soient reconnaissants. Éric s'était alors souvent senti mis à l'écart du trio que formaient ses parents et sa sœur. Cette solitude éprouvante, fréquemment répétée, faisait d'ailleurs écho à une réelle situation d'abandon qu'il avait vécue tout petit : la mort d'un bébé de quelques jours avait plongé la famille dans un grand désarroi, ses parents ne parvenant plus à être en contact avec Éric pendant leurs longs mois de deuil...

Trop beau pour être vrai

La douleur de l'abandon, ses ravages déstructurants pour la personnalité de l'enfant en devenir, ainsi que les traces que ce drame laisse chez l'adulte sont dépeints de façon remarquable dans le magnifique film *The Hours* de Stephen Daldry (2002). Un des personnages principaux, le poète, abandonné par sa mère lorsqu'il était petit, se suicide le jour de la remise d'un prix littéraire très prestigieux qui vient couronner l'ensemble de son œuvre. Ainsi, il peut sembler impossible à l'enfant abandonné d'accepter, une fois adulte, qu'une réussite sociale vienne voiler et recouvrir la tragédie qui a ruiné sa vie.

Bien des personnes particulièrement à vif ont vécu un abandon qui les a durablement et profondément marquées[1]. Lorsque ce « sacrifice » naguère vécu est régulièrement éprouvé, le sacrifice de soi peut devenir un mode d'existence et de relation aux autres (tout faire pour être accepté et apprécié), pouvant conduire – dans les cas extrêmes – au suicide.

Cette sensation de vivre à « fleur de peau » indique d'ailleurs que, dans le vécu de l'hypersensibilité, la *peau* joue un rôle privilégié...

---

1. S. Tomasella, *Le sentiment d'abandon, op. cit.*

9

UNE PEAU SANS PROTECTION

> « *C'est bien la pire peine de ne savoir*
> *pourquoi, sans amour et sans haine,*
> *mon cœur a tant de peine.* »
>
> P. Verlaine

En 1974, sous la forme d'un premier article, puis en 1985 par un livre qui fit date, le psychanalyste Didier Anzieu publiait une étude majeure sur la compréhension du rôle de la peau dans la constitution et le vécu de l'identité subjective[1]. L'âme et le corps sont articulés par un lien mutuel grâce auquel chacun s'appuie sur l'autre pour œuvrer à son développement. La peau physique a donc un équivalent psychique qui est une *enveloppe*. Cette enveloppe correspond aux contours de soi et de son identité. Elle a deux fonctions : celle de contenir des contenus, tels que les sensations, les images et les pensées (fonction de contenance) et celle de permettre l'évolution de ces contenus (fonction de transformation). Nous avons une conscience plus ou moins nette de la qualité de notre peau psychique. Elle peut nous sembler forte et robuste, voire dure et imperméable, ou au contraire frêle, fragile, perméable, même trouée. À une

---

1. D. Anzieu, *Le moi-peau*, Bordas, 1985, puis Dunod, 1995, pour la seconde édition.

enveloppe psychique imperméable peut correspondre une personnalité affirmée, parfois rigide et insensible. À une enveloppe perméable correspondent plutôt des contours imprécis, une identité fragile, des émotions intenses et difficiles à canaliser, ainsi qu'une grande sensibilité. Mon hypothèse est donc que *les hypersensibles sont des personnes dont l'enveloppe psychique a été malmenée, fragilisée, abîmée...*

Spontanément, Aurélien a remarqué une corrélation entre sensibilité psychique et sensibilité physique, notamment au niveau de la peau. « J'ai pu constater que j'avais une grande sensibilité de la peau, aux températures très froides, et plus encore aux chaudes, et davantage encore quand il s'agit d'eau, sans compter les petites douleurs, écorchures ou blessures. Chez moi, la peau des mains est encore plus sensible. Quelquefois, j'ai pu comparer ma sensibilité à celle d'autres personnes confrontées exactement au même stimulus : à chaque fois, leurs tolérances semblaient plus grandes que la mienne. J'en suis venu à comprendre qu'il y a un rapport entre la sensibilité du corps, plus particulièrement celle de la peau, et la sensibilité de l'âme. »

Depuis, je suis particulièrement attentif à cette corrélation et je constate que l'exemple d'Aurélien n'est pas isolé. La plupart des personnes qui se disent très sensibles le sont autant au niveau psychique que physique, et tout particulièrement en ce qui concerne leur *peau*...

Sommeil troublé, l'enfant non protégé

Certaines personnes souffrent d'insomnies. Le manque de sommeil qui s'accumule jour après jour les épuise et les rend particulièrement irritables, incapables de supporter le bruit, l'agitation, le désordre. Malgré leur grande fatigue, elles ont parfois beaucoup de peine à s'endormir après une journée pourtant bien remplie, et ne trouvent le sommeil que tard dans la nuit. D'autres s'endorment assez facilement, mais se réveillent très tôt, en plein milieu de la nuit, sans pouvoir retrouver le sommeil. Dans bien des cas, il n'est ni calme, ni profond, ni réparateur. Les faits vécus dans la journée et les paroles entendues viennent assaillir la personne en manque de sommeil. Une vaine mentalisation fait tourner en rond, conduit à s'acharner sur des idées qui reviennent en boucle, empêchant l'individu épuisé de retrouver le sommeil, malgré tout le besoin qu'il a de dormir. Cette situation l'énerve encore plus et le problème se nourrit de lui-même. Ces personnes décrivent qu'elles ont l'impression d'être entourées de bruits, de fracas et de chaos, alors que celles qui dorment bien ont plutôt la sensation d'une enveloppe souple, douillette et douce, comme un cocon ou un nid. Nous avons besoin de nous sentir bien dans notre peau, d'être en paix – c'est-à-dire déjà paisibles dans notre peau psychique – pour pouvoir nous endormir facilement et dormir profondément. Depuis longtemps, Lizzy connaît bien les mauvaises nuits d'insomnie et l'épuisement insoutenable qui suit le jour d'après. Elle se rend compte qu'elle fait tout pour arranger les autres. Elle affirme qu'elle n'arrive pas à s'épanouir si les autres autour d'elle ne vont pas bien. Le bonheur des autres passe avant le sien. Elle donne de sa personne tout le temps. Cela l'épuise encore plus. Comment sortir de cette spirale ? Lizzy se sent coincée : « Les autres autour de moi ont tout le temps besoin que je m'occupe d'eux, que je sois à leur service et que je reconnaisse ce qu'ils font. » Peu à peu, Lizzy comprend que son habitude de se mettre complètement au service des autres est installée depuis bien longtemps. Elle l'avait déjà adoptée avec ses parents et sa sœur. Elle perçoit mieux alors comment sa grande sensibilité est liée à une forme de protection dont elle a manqué.

« Il s'agit d'une protection qui ne s'est pas mise en place quand j'étais enfant : un manque de soutien de la part de mes parents, les non-dits, les situations difficiles vécues dans l'isolement, le besoin de décrypter l'attitude des adultes, de comprendre l'étrange sentiment de tristesse qui émanait de cette famille dans laquelle j'ai grandi. Mes parents étaient eux-mêmes sensibles ; il y avait pour moi une nécessité à leur ressembler, à absorber l'environnement. » Pourtant, leur sensibilité était vécue dans le silence. « Je ne doute pas de l'amour de mes parents à mon égard, mais cet amour était muet. L'enfant, la petite fille que j'étais, avait besoin de se rapprocher d'eux et ce rapprochement ne pouvait se faire que par la mise en place d'une démarche d'écoute, d'imprégnation de ce qui se passait dans l'esprit de mes parents ou de l'environnement. »

Pour créer une sorte de rencontre et être en contact avec ses parents, Lizzy était obligée de faire siennes leurs préoccupations et d'épouser la cause des adultes. En plus, elle faisait très attention à ne pas exprimer de sentiments qui seraient en désaccord avec ceux qu'ils vivaient eux.

« Je ne peux pas m'autoriser à être heureuse si les autres ne le sont pas. Je n'arrive pas à montrer ma joie de peur d'être en décalage. Je m'oblige à rester dans la mesure et le raisonnable. Une sorte de loyauté qui perdure dans ma vie d'adulte. Enfant, j'avais tout le temps peur de déplaire ou de ne pas faire ce qui était attendu de moi. »

Lizzy a encore peur aujourd'hui de déplaire aux autres. D'autant plus qu'elle peut facilement se sentir blessée par l'attitude de l'autre, souffrir parce que les plaies anciennes s'ouvrent à nouveau, par exemple après une dispute avec son compagnon... Lizzy se sent incapable de convaincre l'autre que son attitude est injuste envers elle, ce qui la fait encore plus douter d'elle. Elle reconnaît qu'elle exerce sur elle-même une sorte de censure. Lizzy s'empêche de s'exprimer comme elle le faisait avec ses parents.

« Je ne me crois pas capable, pas digne de l'autre. Je me persuade que je ne suis pas valeureuse, que je suis indigne... En même temps, je ressens toute l'absurdité d'une telle situation puisque je dois justifier à mes yeux et à ceux de l'autre des actes ou des paroles qui me paraissent plutôt sages. Je ne sais plus comment faire ! »

Comme souvent, un rêve va aider Lizzy à sortir de son impasse. Elle rêve que sa mère, morte depuis des années, lui téléphone et l'invite à mourir pour la rejoindre. Lizzy a tellement l'habitude de tout faire pour les autres que cette demande de sa mère la fait chanceler et lui donne le vertige. Est-elle prête à ne plus vivre pour contenter sa mère ? Alors lui revient un souvenir important : lorsque sa mère est morte, Lizzy a eu l'impression d'avoir perdu son enfant. Elle comprend enfin qu'elle a joué le rôle de mère pour sa propre mère, au point qu'elle croyait être une réincarnation de sa grand-mère. Jouant le rôle maternel pour sa mère, Lizzy ne pouvait pas être une enfant insouciante et tranquille, qui se sent protégée par ses parents pour grandir sereinement...

Contact rompu, identité floue

En 1917, Freud écrivit que « l'être humain ne sait renoncer à rien, qu'il ne sait que transformer[1] ». La recherche du paradis perdu, c'est-à-dire d'un idéal attendu qui n'a jamais vraiment existé, ainsi que la difficulté à quitter certains rêves d'enfant, créent un décalage, parfois décourageant, entre ce qui est souhaité, donc attendu, et les situations réelles de la vie actuelle, bien décevante par rapport aux espérances entretenues. Lorsqu'il est trop douloureux, ce décalage peut aussi provoquer un refus de la dureté du monde ou une blessure à la moindre mauvaise nouvelle, même si elle ne nous concerne pas, comme un désespoir devant les réalités de la vie.

Ainsi, lorsque certaines nouvelles très alarmantes ou particulièrement atroces sont annoncées, répétées et détaillées aux informations (catastrophes naturelles, massacres, terrorisme, etc.), de nombreuses personnes vont se sentir plus « sensibles », c'est-à-dire plus vulnérables. Un rapprochement est donc souvent opéré entre sensibilité et vulnérabilité, ce qui n'est pas forcément juste. Certes,

---

1. S. Freud, *Deuil et mélancolie*, Payot, 2011.

notre vulnérabilité dépend en partie de nos capacités à ressentir des sensations, des émotions et des sentiments, mais pas seulement. Elle vient très directement mettre en évidence nos fragilités personnelles, qui sont le fait de nos blessures plus ou moins anciennes et cicatrisées, mais aussi de nos doutes, de nos croyances et de nos aspirations. En fait, la vulnérabilité est liée à l'*identité*, plus ou moins fragile, qui est la nôtre, plus précisément à la conception et à l'image que nous avons de nous-mêmes.

Un jeune homme né en Israël, où il a grandi, commence une psychanalyse. Il est venu faire ses études supérieures en France. Il se sent très seul. Par moments, il doute beaucoup de lui ; il ne sait pas vraiment dire qui il est. Cela le trouble fortement, au point parfois de le désespérer. Ce trouble augmente dans différentes situations. Par exemple : lorsqu'il est raillé par ses camarades ou remis en cause par un professeur ; lorsqu'il entend des informations sur les violences dans le monde et particulièrement au Proche-Orient ; lorsqu'il craint l'insatisfaction voire l'éloignement d'un ami.

Une personne qui n'a pas une bonne idée d'elle-même souffre d'un défaut d'enveloppe. De surcroît, si son identité est floue, elle peut douter d'elle et ne pas percevoir clairement ses contours. Sa peau psychique est alors fragile ou défaillante.

Lors des nombreuses fêtes célébrées en famille, le jeune homme se sentait encore plus seul. Les rituels étaient suivis à la lettre par ses parents, il paraissait même y avoir une atmosphère de liesse, mais tout cela ne semblait qu'apparence et démonstration à Yaël. Surtout qu'au fond de lui, il aurait tellement voulu vivre de vraies relations humaines chaleureuses et joyeuses avec ses proches. Bien qu'il désire tant l'atteindre un jour, cet horizon d'affection, d'amitié et d'amour lui semble encore inaccessible.

Souvent, l'isolement affectif est une source d'augmentation de la vulnérabilité d'un individu, quel que soit son âge. Même s'il a besoin de temps de solitude et de retours vers soi, l'être humain est un être de relations : il désire avant tout vivre des échanges authentiques et sincères avec autrui.

Ce jeune homme parle de ses parents avec crainte. Il les vénère mais constate qu'ils ne lui ont pas témoigné d'affection et de tendresse, ni par des mots ni par des gestes. Parfois, il rêve de câlins et de caresses, simplement pour imaginer une personne attentive qui toucherait sa peau avec douceur. Quand il ose le dire, un jour en séance, il se met à pleurer. Il exprime que le fait de ne pas avoir été touché par le regard, la voix et les gestes de ses parents l'a isolé du monde. Non seulement il se sent très seul, mais surtout démuni, perdu et sans contact « assez réel » avec les autres. Cela aussi le pousse à douter cruellement de son existence.

La délicatesse ou le tact (par la pensée, la parole et le geste), le toucher et la peau sont des moyens précieux de contact avec l'autre, donc de possibilité de rencontre et de relation. S'ils viennent à manquer, les contours psychiques de l'être, c'est-à-dire aussi son sentiment d'existence, viennent à se dissoudre. Certains patients parlent d'images et de sensations d'affaissement, de délitement, d'évanouissement ou de vertige. Ces sensations imagées ou sensations-images sont des indications très précieuses sur la réalité psychique de celui qui les perçoit. Dans ce cas, elles nous renseignent sur la vulnérabilité d'une personne telle qu'elle la vit.

Peau meurtrie, âme blessée

La maltraitance est une réalité malheureuse très répandue. Elle mériterait qu'un livre entier lui soit consacré. Autant physique que psychique, elle revêt de très nombreuses formes, des plus visibles aux plus invisibles. Dans tous les cas, elle fait des ravages et laisse des marques vives pour longtemps. Entre autres conséquences, elle met sous terreur et induit une peur durable du monde, de l'autre, mais aussi une inquiétude permanente de mal faire ou d'être en tort... Sans arrêt aux aguets, ne pouvant pas trouver de tranquillité fondamentale, la personne maltraitée se vit très souvent comme « hypersensible », du fait de sa grande fragilité et d'une profonde absence de confiance en elle.

Même si elle essaye de se faire confiance et en dépit d'une importante ascension sociale, Elsa a bien du mal à croire en elle. Elle doute de ses capacités pourtant réelles et craint de ne jamais en faire assez. Dans un premier temps, elle a attribué sa sensibilité très vive à la crainte du rejet ou de l'abandon, plus précisément à des situations de séparation ou de manque affectif. Puis, peu à peu, ses idées se sont précisées.

« Très tôt, j'ai été sensible à la dureté de l'existence de mes parents. J'ai fait tout ce que j'ai pu pour réussir mes études et qu'ils soient fiers de moi, ce qu'ils avaient beaucoup de mal à exprimer. Leur maladie aussi m'a fragilisée avec la peur de les perdre. J'ai également été rendue très sensible par les disputes violentes entre mon frère et mon père ou entre mon père et ma mère. Je redoutais les larmes de ma mère. »

Elsa est souvent déçue par elle-même. Elle regrette ce qu'elle a fait, ou bien ce qu'elle n'a pas pu dire ou faire. Elle se sent alors coupable et s'en veut pendant longtemps. Ce mécanisme de dévalorisation d'elle-même est très ancré en elle et concerne tous les domaines de son existence, autant professionnels que personnels. Par exemple, Elsa exprime une difficulté à concilier vie amoureuse et vie parentale. Elle ne s'entend plus avec son mari depuis de nombreuses années, mais reste avec lui de peur de décevoir ses enfants et de perdre leur amour.

Chemin faisant, Elsa commence à reconnaître que son mari ne la respecte pas et, même, qu'il la maltraite parfois en lui parlant durement, en se moquant d'elle et en la dénigrant. Cette prise de conscience aide Elsa à remarquer que son frère aîné, lui aussi, la traite avec mépris et déconsidération. Des souvenirs d'enfance reviennent alors à sa mémoire, permettant à Elsa de comprendre qu'elle a été régulièrement maltraitée par un grand frère tyrannique qui l'humiliait, la ridiculisait et la terrorisait. Elle se souvient également qu'à certaines occasions sa mère l'avait violemment frappée...

Elsa perçoit que son manque de confiance en elle a plusieurs sources : ses parents étaient peu intéressés par la petite dernière ; ils lui demandaient de réussir sans parvenir à l'encourager ni à la féliciter ; son frère avait fait d'elle son souffre-douleur ; son mari avait adopté le même comportement et ne la respectait pas, etc. Comme dans la plus grande part des phénomènes de maltraitance, Elsa avait fini par croire que c'était elle qui provoquait la méchanceté de son entourage et qu'elle méritait donc d'être maltraitée, ce qui renforçait sa croyance en son indignité.

La maltraitance, qu'elle soit physique ou psychique, est une attaque directe de la peau de l'âme. Elle y imprime des fêlures, des percées, des failles qui fragilisent l'être et déstructurent son identité. N'ayant plus une peau[1] agréable car agréée (ne serait-ce que par des regards confiants et des mots bienveillants), les personnes maltraitées parlent d'une peau meurtrie, « bleuie », et d'un « corps de douleur » : elles en ont une mémoire très vive, qui reste en arrière-plan à tous les instants de leur existence. Elles vivent dans la hantise des coups (au propre comme au figuré) et – quitte à fuir – essaient de les éviter.

---

1. Ici le mot « peau » renvoie autant à la peau physique qu'à l'enveloppe psychique, à l'identité humaine, à l'âme singulière, c'est-à-dire à la possibilité de contact subtil avec la personne profonde.

10

CES ÉMOTIONS
QUE NOUS RÉPRIMONS

> « *Absolument personne n'est exclu de l'être,*
> *excepté celui qui s'exclut lui-même*
> *en devenant foule.* »
>
> S. Kierkegaard

Lorsqu'un phénomène nous dérange, nous pouvons ne pas y accorder d'importance, ne pas le considérer, voire l'occulter (Freud dit « le refouler »). Si ce phénomène insiste et que nous sommes plus ou moins obligés d'y faire face, nous pouvons alors le déprécier ou le discréditer pour minimiser son impact. Longtemps, les manifestations vives de la sensibilité ont été dédaignées et méprisées, pour rejoindre certaines catégories larges et floues : l'hypersensibilité ne concernerait que les femmes, elle serait l'expression de leur faible constitution ; les hypersensibles seraient des « hystériques[1] » ou des fous, ou encore des « personnalités limites[2] », etc. Faire de l'hypersensibilité une maladie mentale est un tour de

---

1. La très vaste question de l'hystérie a été abordée de façon remarquable par le psychanalyste Lucien Israël dans nombre de ses conférences et de ses écrits. Il est possible de découvrir l'essentiel de sa pensée sur ce thème dans *Boiter n'est pas pécher*, Érès, 2010, pp. 143-232 principalement.
2. Lire le très beau texte de Claude Nachin, « Nous sommes tous des états-limites », *Éthique du sujet*, CERP, 2010.

passe-passe bien commode pour se mettre à l'abri, pour ne plus avoir à se pencher sur la question et ne pas faire l'effort d'accueillir celle ou celui qui y est confronté(e), afin de le connaître et – peut-être – de le comprendre. L'hypersensibilité n'est pas anormale. Il n'existe pas de « modèle d'homme ou de femme normaux qui ne soit pas un idéal ; donc, par définition, inaccessible[1] ». En revanche, chaque groupe social édicte des règles normatives, mettant à l'écart, à la marge ou au-dehors les personnes qui ne s'y plient pas. C. G. Jung avait coutume d'affirmer que c'est *l'excès d'adaptation*, donc de soumission aux injonctions familiales et aux coutumes sociales, qui produit nos déséquilibres psychiques[2]. L'hypersensibilité n'y fait pas complètement exception, bien qu'elle vienne justement signifier la lutte pour ne pas se soumettre aux consensus et aux idéaux, pour ne pas s'adapter.

La sensibilité d'un individu sera donc d'autant plus vive qu'il entrera en conflit avec les normes familiales ou sociales, qu'il sera en opposition avec son entourage. Les manifestations de sa grande sensibilité signalent ses écarts, encore peu assumés, avec les conventions et les préjugés. Les interactions entre une personne et ces conventions exacerbent la sensibilité. Sans compter que stigmatiser la sensibilité, de façon maladroite voire virulente, ne fait en réalité qu'accentuer le malaise. Bien souvent, l'émotivité et la réactivité tant critiquées par l'entourage sont en fait provoquées par lui. Le cercle vicieux est insoluble puisque la personne très sensible est accusée de ce qu'elle subit !

---

1. L. Israël, *Boiter n'est pas pécher*, op. cit., p. 196.
2. C. G. Jung, *L'homme à la découverte de son âme*, Albin Michel, 1987.

Cette situation inextricable est d'autant plus renforcée que le sujet va croire aux réprobations de son environnement et réduire son identité à ce qui lui est reproché : « tu es émotif, colérique, caractériel, agressif, violent, etc. », ou sinon : « tu es incapable, faible, débile, imbécile, bon à rien, etc. ».

Le prénom oublié

Lorsqu'une personne vit durablement face à une coalition d'intérêts (ses proches s'organisent autour d'activités ou de valeurs communes qu'il ne partage pas) ou face à une accumulation de jouissance (avoir, pouvoir, savoir), il peut soit croire qu'il n'y a que cette façon d'exister et qu'il doit donc s'y plier en se reniant lui-même, soit croire qu'il ne peut exister qu'en étant exclu du groupe. Dans tous les cas, son sentiment d'existence est chancelant, car il n'est pas validé par les autres, ce qui est source d'angoisses.

Par moments, Paulo sent encore monter en lui des bouffées d'angoisse sans raisons objectives. Il souffre d'une très grande solitude, d'un fort manque d'amour et d'affection. Il est souvent en proie au désespoir et perd le goût de vivre. Curieusement, il somnole et s'endort presque un moment lors d'une séance. Suite à ce temps de repos, de silence et de détente profonde, vécu dans la présence attentive de son psychanalyste, il dit qu'il se sent reconnu, et surtout qu'il se sent protégé. Paulo trouve en effet que le monde est violent ; il n'arrive pas à se protéger lui-même. Au fil des ans, la violence du monde autour de lui (dans sa vie professionnelle et personnelle) provoque une sorte d'usure, d'épuisement profond. Sa fragilité en est accentuée...

Paulo sent confusément que tout cela découle de la très mauvaise relation qu'il a eue avec ses parents : un père très effacé, bien que continuellement grognon, une mère autoritaire et cruelle. Une nouvelle prise de conscience l'aide à comprendre sa position d'enfant face à ses parents.

« Depuis quelque temps, je constate que ma difficulté à me souvenir des noms et prénoms des gens s'accroît. Si cela peut facilement se comprendre vis-à-vis de personnes peu connues, cela devient franchement gênant lorsqu'il s'agit de personnes plus proches. Pas celles que je connais bien, heureusement. Cela peut être embarrassant quelquefois, souvent agaçant, et de plus en plus, franchement énervant. On dirait non pas un effacement, mais un blocage de la mémoire dédiée aux noms. »

Après y avoir bien réfléchi, Paulo comprend que cela est relié à la peur de se tromper de nom, donc d'en éprouver de la honte. Une honte qui, pour lui, se rattache à ses souffrances d'enfant. De plus, il a très peur de manquer de respect à l'autre. Ne pas bien nommer l'autre équivaut à ne pas considérer l'unicité de sa personne. Là encore, cela ramène Paulo à son enfance, puis à son adolescence, quand sa mère confondait systématiquement le prénom de son frère avec le sien. Alors qu'il aurait eu tellement besoin de se sentir unique et reconnu dans sa spécificité[1].

---

1. Regarder le très beau film de Bruno Chiche, *Je n'ai rien oublié* (2011). Des surnoms très proches permettent à une mère malhonnête, et meur-

Paulo comprend par lui-même qu'un phénomène psychique a souvent plusieurs origines enchevêtrées. « Concernant mon oubli des prénoms, une autre hypothèse est la peur d'être rejeté en me trompant de prénom ; donc, oublier tous les prénoms élude le problème, d'une manière radicale et douloureuse. [...] J'ai encore une hypothèse : la charge émotionnelle affective que je vis est trop forte dans la moindre de mes relations. Ce qui est connu pour le jeune amoureux s'applique dans mon cas à tous les rapports humains. Je suis tout le temps à vif et sur le qui-vive. »

Comment mieux définir une très grande sensibilité ? Par extension, cela rejoint toutes les formes d'hypersensibilité au monde extérieur. Paulo explicite ce qu'il perçoit de son rapport au monde.

« Ma relation au monde et aux humains est d'une telle intensité (d'amour) qu'elle provoque ce genre de réactions très extrêmes. Pour appuyer cette idée, j'ai pu réaliser quelques fois une expérience qui consiste à éprouver un sentiment d'amour intense pour les autres, même mes adversaires, ou pour l'humanité tout entière. Cet amour est presque identique à l'amour passionnel pour une femme, mais avec la constante de l'isolement. Pour moi, c'est comparable à un exercice de mystique solitaire. Très probablement, c'est un moyen de tenter de créer une relation d'amour avec les autres. D'échapper à ce vide. »

Associant librement à partir du vide qu'il ressent en lui, Paulo revient sur l'incident répété de confusion des prénoms par ses parents, ainsi que le peu d'intérêt qu'ils lui

---

trière, d'échanger l'identité de l'enfant de son patron avec celle de son fils, pour lui assurer l'énorme héritage de l'autre.

portaient. Ces réalités douloureuses ont ancré en Paulo l'idée qu'il est fondu dans son environnement, indifférencié, invisible même, et qu'il n'existe pas. Il en vient même à affirmer : « Je suis tout et rien à la fois. »

« Tout, parce que je suis capable de comprendre, de ressentir, et d'aimer tellement de choses et d'humains. Comme si le monde entier était à ma portée. Rien, parce que je demeurais tellement seul, isolé et avec si peu d'amour. En exagérant démesurément, je dirais que je suis à l'image d'une personne qui assiste à tout sans pouvoir intervenir. »

Paulo est sensible au monde, aux autres, et en même temps il a l'impression qu'il n'est rien. Il est tellement en recherche d'une vraie relation d'amour qu'il se jette avidement vers les autres avec une grande force, une violence même, sans pouvoir réellement être en relation. L'absence de relation brise son élan et son seul moyen d'exister ou de se sentir vivant. Tout cela le projette hors de lui-même.

« Je crois justement que ce flux d'amour m'entraînait hors de moi-même : sans retour de sentiment, d'échange, je ne faisais que me vider plus encore ! »

Sa découverte se précise alors...

« J'ai souvent l'impression que ma chair a inversé sa place avec la peau, la partie la plus sensible de mon enveloppe est bien plus tournée vers l'extérieur que vers l'intérieur. Ou peut-être davantage : je suis plus que moi-même, je suis le monde. Ou plus simplement : le monde est en moi, et je ne réalise pas cette contradiction entre l'intérieur et l'extérieur. Entre les apparences et la profondeur… Une question me vient : cette sensibilité est-elle juste une aptitude qui s'est développée avec la vie ou est-ce principalement l'écrasement familial, cette annihilation de l'être, qui a créé mon ouverture sur le monde ? »

Pour Paulo, et tant d'autres, les deux phénomènes sont vrais. Il a très tôt perçu la grande sensibilité qui est la sienne, mais elle s'est également développée sous la forme d'une vulnérabilité face aux autres et d'une capacité de questionnement, donc de réflexion, du fait de sa grande solitude dans sa famille et de l'incompréhension radicale des autres à son égard.

L'enfant sauveteur

Beaucoup de personnes qui viennent consulter pour une forme ou une autre de très grande sensibilité sont étonnées de constater que pendant longtemps elles n'ont pas été conscientes de cette particularité ou, même, qu'auparavant elles se trouvaient plutôt moins sensibles que leurs proches, voire insensibles. Nous évoluons tout au long de notre existence : nous grandissons, nous mûrissons, nous vieillissons ; les événements que nous vivons et, surtout, les épreuves que nous endurons, nous transforment ou parfois nous bouleversent.

Ainsi, par exemple, certains individus adultes constatent qu'une forme d'*épuisement* plus ou moins patent accompagne leur nouvelle façon d'être : irritabilité, incapacité à réfléchir, émotivité très prononcée, colères soudaines, maux de tête, terreurs nocturnes, etc. Ils découvrent comment cet épuisement découle d'un surmenage physique, nerveux ou intellectuel, d'une grave maladie (ou de celle d'un proche), d'une longue période sans sommeil, d'un amour déçu ou d'un chagrin prolongé.

Néanmoins, cet épuisement anxieux peut également concerner des enfants et des adolescents, même si la vitalité de leur jeunesse vient le masquer plus aisément ou s'il est mis sur le compte d'une éventuelle « crise d'adolescence ». Il correspond alors à l'enfant qui aide ses parents à tenir debout.

Une mère élève seule sa fille Émilie depuis la naissance. Elle n'a plus aucun contact avec le père de l'enfant. Lorsque celle-ci a douze ans, la mère épuisée s'effondre et sombre dans une dépression si radicale qu'elle est hospitalisée pendant plusieurs mois. De retour chez elle, elle est encore très faible et reste particulièrement fragile durant encore plusieurs années. Tout au long de cette épreuve, Émilie prend continuellement soin de sa mère, comme une bonne fée (à la fois marraine, infirmière et maman). Elle est à l'affût du moindre signe de souffrance ou de malaise chez sa mère. Elle tente de prévenir le plus petit risque de rechute. Émilie grandit dans ce rôle de sollicitude permanente, très attentive à chaque instant à l'état dans lequel est sa mère. Peu à peu, elle forge une certaine façon d'être, pleine de délicatesse mais aussi tout le temps inquiète. Devenue jeune femme, elle reste conditionnée par la relation qu'elle a eue avec sa mère, très à fleur de peau, et particulièrement anxieuse pour la moindre chose.

Dans une telle situation, l'enfant, puis l'adolescent et l'adulte éprouvent de fortes difficultés à exprimer leurs ressentis et, surtout, leurs émotions. Cette impuissance est d'autant plus marquée qu'un changement de pays, de culture et de langue est intervenu à un moment clé de leur vie.

Ainsi, Betty essaie d'y voir clair dans les sources possibles de son intense sensibilité. « Il est difficile de connaître les origines de mes traits de caractère, mais ils viennent probablement d'expériences vécues dans l'enfance. Mes parents étaient aimants, je ne voudrais pas les rendre responsables de mes défauts. Cependant, j'ai grandi avec la conscience que mon existence pouvait sauver leur mariage. Ma naissance était un accident, survenue après la naissance de mon frère et de ma sœur (respectivement dix ans et douze ans avant). Ma mère ne voulait pas d'autre enfant. Il y avait souvent des disputes et une menace de divorce planait. À plusieurs occasions, j'ai vu ma mère faire ses valises et j'ai le souvenir d'avoir été dans une grande détresse et de l'avoir suppliée de rester. Peut-être ces expériences ont-elles un rapport avec ma peur de l'abandon et surtout avec le sentiment d'être responsable du bonheur de ceux que j'aime. »

Les formes que prennent toutes les tentatives d'aide et de soutien d'enfants pour leurs parents en difficulté ou en détresse sont très variables. Elles vont des plus anodines aux plus dramatiques. Dans la très grande majorité des cas, ce rôle de tuteur exercé par l'enfant (ou l'adolescent) va longtemps peser sur lui durant son existence d'adulte et le fragiliser dans toutes les situations relationnelles où l'implication affective est forte, le rendant plus vulnérable que ses congénères...

Le parent triste

Certains enfants ne se sont pas contentés d'aider leur(s) parents(s) en difficulté, ils se sont même identifiés à lui(eux), au point – parfois – de lui(leur) ressembler étrangement et de développer un caractère très similaire. Ils en arrivent à se demander si cette sensibilité exacerbée est la leur, ou plutôt celle qu'ils ont « empruntée » à leur(s) parent(s), plus qu'ils en ont hérité, allant même jusqu'à la prendre à contre-pied. D'autant que, fréquemment, emprunter un trait psychique de son parent (caractère, attitude, comportement, croyance, discours, etc.) correspond à une façon de réprimer son être propre...

Après deux ans de recherches enthousiastes sur lui-même, Djamel commence à repérer ce qui, selon lui, est à la source de sa sensibilité si particulière. « Je pense que cela vient en très grande partie de ma mère. Ma mère est une femme très pudique. Je sais qu'elle n'a pas été heureuse dans son enfance. Quoi qu'il arrive, ma mère a beaucoup de mal à exprimer ce qu'elle ressent. Tandis qu'elle devrait pleurer à chaudes larmes en apprenant le décès d'un proche par exemple, elle a les lèvres qui tremblent, les yeux rouges presque larmoyants, mais elle n'ose pas pleurer ou éclater en sanglots devant quiconque... Sans oublier que ma mère est très timide, ce dont j'ai hérité aussi. Pour éviter d'exprimer ses émotions et ses sentiments, elle est devenue très terre à terre ; si elle pouvait creuser un trou dans la terre pour s'y cacher, elle le ferait ! Pour ne pas lui ressembler, je m'oblige à sortir, voir du monde, faire des choses originales, pratiquer des activités dures et inattendues, parfois risquées (physiquement, intellectuellement, financièrement...). J'ai un furieux besoin de repousser mes limites (ou plutôt celles de ma mère et de ma famille) pour vivre la vie pleinement avec tout ce que mon existence peut m'offrir : c'est un combat de tous les jours. »

Le plus dur pour Djamel est de parvenir à sortir de la tristesse et de la gravité de sa mère. « Le regard de ma mère est paré de cette tristesse, comme si tout ce qu'elle regardait la faisait souffrir, comme si elle était déjà consciente de la gravité, de la tragédie de la vie et de la finitude des choses... » Le jeune homme ne veut pas passer son temps à souffrir et à tremper dans le malheur.

Pour autant, comme tout individu qui ressemble plus ou moins à tel ou tel parent, Djamel met également en évidence comment ses vécus de très forte sensibilité surgissent lorsque quelque chose le touche et lui rappelle un moment qu'il n'a pas aimé vivre.

« Pendant longtemps, repasser devant le Théâtre La Criée n'a pas été facile. C'est là que j'avais rencontré Noémie, ma première petite amie... et dans ce même endroit qu'elle m'avait annoncé qu'elle me quittait ! Près de ce même théâtre, sur le boulevard Jean-Jaurès, il y a un tout petit hôtel très modeste... C'est dans une chambre qu'elle avait louée avant de quitter Marseille que je l'ai serrée en larmes pour la dernière fois... Je ne pouvais pas accepter qu'après tous ces merveilleux (mais aussi malheureux) moments avec elle, notre histoire se finisse là... Ce lieu est désormais synonyme de honte, d'échec de ma vie amoureuse. C'est une douleur profonde, trop récente encore pour cicatriser. Tous les jours ou presque, en passant à pied, en voiture ou en tramway devant cet hôtel, un voile de tristesse assombrit mon esprit et mon regard, je détourne la tête pour ne pas regarder ce bâtiment, parce que j'ai honte de ce que j'ai fait... »

11

LES DÉCHIRURES DE L'ÊTRE

> « En réalité, les sanglots n'ont jamais cessé ;
> et c'est seulement parce que la vie se tait
> maintenant davantage autour de moi
> que je les entends de nouveau. »
>
> M. Proust

Parmi les nombreuses sources d'une sensibilité vive, voire d'une sensibilité à vif, se trouvent toutes les formes des blessures traumatiques[1].

Il s'agit le plus souvent d'un phénomène de *correspondance* : les ressentis (sensations, émotions, sentiments) éprouvés face à des situations et des événements actuels correspondent de près ou de loin à des ressentis plus anciens liés à des situations désagréables ou des événements douloureux. Ils réactivent donc les blessures qui ne sont pas encore guéries et rappellent de façon plus ou moins directe cette mémoire à la conscience. En dehors du retour de souffrances anciennes, souvent oubliées, qui altère l'équilibre psychique du présent, c'est surtout le désaccord, ou même le conflit, entre les ressentis actuels et les ressentis anciens, qui engendre les manifestations d'hypersensibilité : anxiété, émotivité, irritabilité, etc.

---

1. S. Tomasella, *La traversée des tempêtes – Renaître après un traumatisme*, Eyrolles, 2011.

Dans ce cas de figure, les faits et les paroles de la réalité présente viennent résonner dans *l'espace vide du trauma* : cet espace est vacant parce qu'il a été déserté par le sujet au moment du traumatisme. En effet, l'impact du choc est tel que le sujet est commotionné, sidéré, médusé. Le traumatisme laisse donc en lui une trace en creux : une absence de mémoire, un défaut de pensée, donc un manque de symbolisation[1].

La pianiste Marie-Josèphe Jude décrit ce blanc du moment traumatique.

« *J'ai ressenti quelque chose de très particulier à la mort de mon père. J'avais presque neuf ans (il est mort une semaine avant mon anniversaire) et je me souviens avoir été totalement incrédule à l'annonce de sa disparition. Ce qui m'ennuyait le plus était de voir ma mère et mes sœurs effondrées (elles avaient seize et dix-sept ans), dans un état de désespoir incroyable, et moi, ne sachant pas comment réagir. Si je me souviens bien, je n'arrivais pas à avoir de la peine comme je pensais qu'il aurait fallu que je la ressente... mais je sais que cela a accentué encore plus mon incapacité à exprimer verbalement mes émotions. Tout vivait à l'intérieur, je parlais beaucoup seule, je ne pleurais jamais devant quelqu'un, toujours seule, et je crois que cela rajoutait de l'intensité aux ressentis. Par la suite, je crois que la musique est devenue une nécessité absolue pour pouvoir extérioriser ce que je ne pouvais pas dire...* »

Cet espace vide du trauma joue alors le rôle d'une véritable *caisse de résonance* pour les ressentis, qu'elle amplifie, parfois considérablement, à la mesure de la gravité des blessures passées.

---

1. *Ibid.*

Le phénomène de résonance et d'amplification des ressentis est parfois perçu confusément sans pouvoir lui attribuer une cause précise, ce qui ajoute au désarroi de la personne très sensible. De surcroît, l'amplification produit un décalage par rapport à ce qui se passe là vraiment, c'est-à-dire ici et maintenant, puisqu'elle ne correspond pas au présent, mais aux drames du passé.

La « zone morte » en soi

Beaucoup de personnes ayant vécu un traumatisme grave se sentent porteuses d'une part éteinte, comme si une partie d'elles-mêmes avait disparu avec le trauma. Cette *zone morte en soi* est due à un événement particulièrement douloureux, effrayant ou honteux, dont le sujet n'a pas pu parler. Elle constitue le cimetière de cet événement indicible autant que son mémorial secret.

Une personne qui porte en elle une telle zone dévastée peut également être tenue par une loyauté inconsciente à la mémoire de l'événement catastrophique[1], ainsi qu'à celle des personnes qui y ont participé. Parfois, un tel pacte invisible commandant un deuil permanent ne permet pas à l'individu de se réjouir avec les autres. Ce décalage peut rendre la personne qui en souffre très sensible à certaines ambiances festives, en amplifiant sa difficulté à y participer et à faire partie du groupe...

---

1. Tout trauma correspond à une catastrophe pour celui qui le vit.

Pendant très longtemps, Aurélien ne s'était pas autorisé à se réjouir avec les autres. Aussi sortait-il très peu. Il avait consacré tout son temps à ses études. Bien que très sensible, il en était même arrivé pendant des années à ne pas vivre sa sensibilité. Par exemple, la musique lui faisait particulièrement peur : il sentait confusément combien les émotions provoquées par l'écoute d'un morceau pourraient réveiller violemment en lui d'autres émotions qu'il avait savamment enfouies. Emmuré dans des raisonnements intellectuels et des arguments philosophiques maîtrisés, Aurélien ne vivait plus vraiment : il fonctionnait, brillamment même, mais il n'existait pas. Il avait la sensation d'être décentré, déporté, de « se trouver sans cesse à côté de lui et de sa vie ».

Ce type de constat plonge la personne concernée dans un fort désarroi, comme si toutes ses anciennes précautions étaient devenues inutiles, comme si sa réussite sociale ou professionnelle ne suffisait plus à lui donner le goût de vivre ou à la rassurer sur l'utilité de sa présence au monde. Une brèche s'est ouverte vers l'inconscient et la mémoire traumatique.

Aurélien pense d'abord au mauvais accueil qui lui a été réservé par sa famille, déjà nombreuse, au moment de sa naissance : « Je n'ai pas le droit à l'erreur. J'ai tout le temps peur d'être rejeté. Cela me coupe de moi-même. Je suis focalisé sur les autres et je ne pense plus à moi. Je crains sans arrêt de décevoir, de ne pas être accueilli, de ne pas être aimé. » Cette découverte l'aide à se resituer de façon plus juste face aux autres et à être moins sensible à ce qu'ils pensent ou disent de lui. Pourtant, Aurélien ne se sent pas encore vraiment vivant... Un jour, bien plus tard, sur le conseil d'une amie, souhaitant accorder plus d'importance à son corps qu'il a longtemps négligé au profit des abstractions intellectuelles, Aurélien va se faire masser et, par pudeur, choisit une technique où il peut rester habillé. Encore allongé, les yeux fermés, juste après la séance de shiatsu[1], Aurélien raconte qu'il a « eu une vision ». « J'ai vu un corps très maigre, recroquevillé à l'intérieur de moi, comme un cadavre ou le corps décharné d'un malade en toute fin de vie. » Intrigué, il a continué à suivre cette vision d'agonie faite de sensations et d'images intérieures. Puis sont revenus des souvenirs du cancer d'une de ses tantes bien aimée et du récit de sa mort par des proches. Cette femme très discrète était souvent déconsidérée par la famille et Aurélien avait caché sa profonde affection pour elle. Il était très jeune lors de son décès, seul à l'étranger en voyage d'études, et loin d'elle au moment de sa mort, sans pouvoir lui dire adieu. Plus de vingt ans après sa mort, il n'avait pas du tout accompli son deuil[2]. Sa peine et son chagrin étaient restés enclavés en lui, intacts, dans une part blessée, une zone morte-vivante qui restait en souffrance et le rendait extrêmement sensible à la majorité des situations affectives, qu'elles soient heureuses ou malheureuses.

Les ramifications de la mémoire sont innombrables, nous en faisons souvent l'expérience. Une grande partie des situations où nous nous sentons particulièrement sensibles, donc fragiles, découle de ce réseau d'irrigation, à la fois physique et psychique, par lequel notre mémoire affleure à la surface de la conscience pour repartir vers les profondeurs de l'être. Énigmes et mystères brièvement entrevus nous laissent souvent aussi perplexes qu'au sortir d'un songe...

---

1. Massage traditionnel japonais, par pression des pouces le long des différents trajets d'énergie (méridiens).
2. C. Nachin, *Le deuil d'amour*, L'Harmattan, 1998.

La peur des mauvaises surprises

Certaines personnes sont tout le temps sur le qui-vive. Elles craignent le pire, plus ou moins sciemment, et semblent s'attendre à le voir surgir, de façon soudaine, comme une fatalité. Ces personnes croient souvent au destin et sont à l'affût des moindres signes qui pourraient être annonciateurs de catastrophes, tels les oracles de l'Antiquité. Chez elles, il est fréquent de rencontrer une forte sensibilité au *rythme*. Le rythme des paroles, des gestes, de la démarche des autres est, pour ces personnes, un bon premier indicateur de l'humeur et de la disposition de ceux qu'ils côtoient : bonne ou mauvaise humeur, calme ou énervement, disposition favorable ou défavorable à leur égard, etc. Elles ont gardé en mémoire, comme repère du danger, le rythme spécifique, souvent rapide et saccadé, rythme d'urgence, de panique ou de frénésie, qui fut celui du moment traumatique. Elles redoutent également tous les effets de surprise et tentent, parfois par autant de ruses que de précautions, de s'en prémunir. Elles sont devenues de véritables sentinelles !

Un seul instant d'inattention...

Le film *Million Dollar Baby* de Clint Eastwood (2004) est une bonne illustration de cette peur que les pires coups bas surviennent au moment où nous nous y attendons le moins. Une jeune femme est déterminée à apprendre à boxer. L'entraîneur qu'elle sollicite cherche à la décourager de nombreuses fois sous prétexte qu'elle est trop âgée. À force de persévérance et de ténacité, elle réussit à le convaincre et peut donc se former auprès de lui. Faisant de rapides progrès décisifs, elle commence bientôt à se produire en combat. Son ascension dans le petit monde très fermé de la boxe féminine est fulgurante. Lors d'un match capital, profitant d'une brève pause et d'un moment d'inattention, sa rivale championne du monde, sans cœur et sans âme, lui assène – par-derrière et par surprise – un coup fatal qui la rendra handicapée, sans espoir de rémission. Les visites de sa famille à l'hôpital ne seront alors motivées que par l'appât du gain et de son héritage...

Cette histoire est une métaphore intéressante de ce que sont les traumatismes les plus marquants : un déferlement inopiné, une attaque par surprise, l'écroulement d'un monde, la fin d'un rêve, une trace indélébile, si ce n'est un handicap (même invisible) ou la mort psychique d'une part de soi.

Dans ce type de profil et d'histoire, la personne hypersensible craint à la fois :

- le retour soudain de la même catastrophe ou d'une catastrophe identique ;
- le réveil douloureux, donc la réactivation, de la mémoire des moments d'horreur ;
- la révélation évidente, pour soi mais aussi pour autrui, du handicap psychique ou de la zone morte en soi que le choc traumatique a occasionnés.

Un jour, en séance, Milena se rend compte avec stupéfaction que, depuis des années, elle passe son temps à faire attention à tout, à tout surveiller sans cesse, tant elle craint inconsciemment que ne puisse lui arriver une catastrophe. La première explication qu'elle trouve (la résistance politique à Prague, la peur constante d'être dénoncée, puis l'exil clandestin vers la

France à travers l'Autriche et la Suisse) ne lui semble pas suffisante. Elle pressent en elle un autre souvenir, plus éprouvant, plus douloureux... À la suite d'une réunion difficile, au travail, durant laquelle elle se sent injustement remise en cause par un de ses collègues, elle s'évanouit. Les jours qui suivent, elle est très anxieuse, craignant de s'évanouir de nouveau, y compris dans les transports en commun. Puis, une vive douleur dans le haut du dos s'installe, brûlante. Une nuit, elle fait un cauchemar : quelqu'un qu'elle ne voit pas mais dont elle sent la présence hostile derrière elle la pousse violemment dans le dos pour la faire tomber dans un escalier. À cette occasion, Milena retrouve un souvenir d'enfance correspondant en tout point à son cauchemar. Un cousin plus âgé qu'elle, qui l'enviait violemment à l'époque, l'avait effectivement poussée dans le dos pour la faire tomber dans un escalier : elle était restée inanimée un moment après sa chute...

Chaque traumatisme, surtout s'il est psychique, est caractérisé par une forte *rémanence* : un long temps durant lequel la frayeur qu'il a occasionnée reste active et opérante. La puissance du trauma fragilise donc l'individu de plusieurs façons, souvent concomitantes, le rendant particulièrement sensible à tout ce qui pourrait rappeler la catastrophe (la remémorer ou la faire revenir).

Porter la souffrance des autres

L'émotion désigne un mouvement intérieur (un processus psychique) qui nous touche (nous affecte), c'est-à-dire un trouble de l'âme. Les poètes écrivent avec justesse : « mon âme est troublée ». Ce trouble vient également affecter le corps de multiples façons : rires ou larmes, respiration accélérée ou coupée, rougeur ou pâleur, sueurs chaudes ou froides, tremblements, vertiges, etc. Certaines émotions nous paraissent agréables ou favorables, d'autres désagréables ou défavorables. Aucune ne nous laisse indifférents, à moins de nous être coupés d'elles en nous insensibilisant.

Lorsque nous accueillons avec souplesse et fluidité les différentes émotions qui se présentent à nous dans le cours de la vie quotidienne, elles ne nous font pas souffrir[1]. En revanche, nos émotions sont source de souffrance lorsque nous nous accrochons à elles, que nous les enterrions en nous pour mieux les cacher (aux autres et à nous-mêmes) ou que nous les exprimions avec véhémence, voire exagération, comme pour appeler les autres à notre secours : « Voyez comme je souffre, aidez-moi ! » N'oublions pas non plus l'écho en nous des émotions d'autrui. Là encore, à moins d'être devenus insensibles, ce qui arrive aux autres nous affecte, plus ou moins directement ou fortement. Dans une certaine mesure, nous ressentons ce qu'ils sont en train de vivre donc de ressentir, d'autant plus si nous nous identifions à eux et si nous nous en sentons proches, donc concernés.

Un patient exprime qu'il se sent « perméable à tout » et, de ce fait, « tout le temps sur le fil du rasoir ». La souffrance des autres le perturbe beaucoup. D'un côté, il est particulièrement capable de compassion et de solidarité : c'est un homme généreux qui aide facilement les personnes dans le besoin, y compris celles qu'il ne connaît pas et qu'il vient de rencontrer. D'un

---

1. Voilà pourquoi il n'est ni utile ni nécessaire de « gérer » ses émotions, mais simplement de les *vivre*...

autre côté, dans ses relations amicales et amoureuses, il est tellement attentif aux attentes, aux besoins et aux vœux de l'autre, qu'il s'oublie peu à peu lui-même et peine alors à se sentir vraiment exister. Durant certaines périodes, il est « dévoré par l'angoisse ». Il fait des cauchemars répétitifs dans lesquels il se suicide ou se détruit par peur d'être capturé ou tué par quelqu'un d'autre, souvent en position parentale d'autorité, qui l'accuse et le condamne sans appel. Ce patient se souvient des violentes disputes qui opposaient ses parents avant le départ définitif de son père lorsqu'il avait cinq ans. Sans savoir pourquoi, il s'est désigné lui-même comme coupable : il croyait être la cause de ces disputes. Après la disparition de son père, cet homme est devenu le soutien affectif et moral de sa mère, s'effaçant devant le moindre de ses désirs ou la moindre de ses contrariétés. Il a ainsi pris l'habitude de faire taire ses émotions, ses mouvements intérieurs, pour être uniquement à l'écoute de ceux de sa mère, puis des femmes qu'il a côtoyées. Sacrifiant une partie essentielle de sa vie intérieure, il a développé une idée très négative de lui-même, grevant toute possibilité de réelle confiance en lui. Surtout, il constate qu'un profond *manque à être* pèse sur lui. Ce constat le rend très réactif et très irritable. Cet homme s'est renié lui-même ; il s'en veut terriblement…

Certains d'entre nous, à l'instar de cet homme, se sont amputés d'une partie essentielle d'eux-mêmes, pour devenir la colonne porteuse d'un parent ou d'un proche. Ils expriment parfois soudainement de vives révoltes, qui peuvent sembler exagérées pour leur entourage. Il s'agit d'une façon de se retrouver un moment ou de mettre un terme provisoire à un excès de sacrifice : ils ont atteint la limite de ce qui leur est supportable. Si certains explosent d'une rage pleine de fureur, d'autres fondent en larmes amères ou s'écroulent en sanglots désespérés. Les réactions émotionnelles sont très variées ; elles sont chaque fois justifiées en leur fondement subjectif, fréquemment liées au vécu d'une profonde injustice réelle mais invisible. Il est impossible de porter longtemps la souffrance d'un autre sans courir le risque de s'effondrer ou d'y succomber. La grande sensibilité des hypersensibles, extériorisée de temps à autre de façon exaspérée, découle souvent d'une existence passée à consoler ou encourager les autres, privée de consolation et d'encouragement.

12

EMPRISES
ET CONTRAINTES MENTALES

> *« Tous ceux qui l'ont connu se rappellent*
> *des moments où s'ouvrait*
> *le gouffre de son âme envieuse,*
> *et c'était comme si, à son contact,*
> *on se salissait. »*
>
> E. Carrère

Comme nous venons de le voir, il est plutôt aisé de découvrir comment de très nombreuses formes d'hypersensibilité peuvent s'être développées à partir de situations de saturation ou de surmenage, d'une difficulté à se protéger, d'une identité vacillante ou fragile, de conflits récurrents avec un environnement normatif ou coercitif, mais aussi de blessures traumatiques plus ou moins récentes. En revanche, la toile d'araignée que représente un rapport d'emprise avec une personne ou un groupe est une source très rarement désignée d'exacerbation de la sensibilité, d'êtres rendus vulnérables à dessein, utilisés sans scrupules malgré les apparences et poussés à bout par une volonté destructrice habilement dissimulée sous le masque de la « normalité »[1].

---

1. S. Tomasella, *La perversion – Renverser le monde*, Eyrolles, 2010.

Fausses excuses et faux-semblants

De nombreux patients expriment leur épuisement et même leur « usure » face aux refus de considération et d'écoute. Ils souffrent de ces « fins de non-recevoir » récurrentes, dans leurs interactions avec certains de leurs proches, en famille ou au travail, souvent sur de longues périodes. Cette usure peut aussi découler de fausses promesses réitérées, qui ne sont finalement jamais tenues : les discours enjôleurs annoncent l'arrivée d'un changement qui, dans les faits, ne vient pas. La situation difficile perdure ; ceux qui ont à s'en plaindre se découragent, perdent leur entrain, désespèrent de trouver une issue et sont de plus en plus tendus et « à cran ».

Cette situation est malheureusement de plus en plus répandue, en témoignent les souffrances au travail fréquemment décriées et les nombreux suicides qui en découlent. Moins dénoncée, la participation à l'emprise n'est pas uniquement le fait d'individus retors et haineux. Elle peut venir de personnes qui ont elles-mêmes grandi dans des rapports d'emprise et qui ont, pour survivre, décidé d'étouffer leur forte sensibilité, jusqu'à ce que cette asphyxie leur devienne insupportable...

Dans son travail, mais aussi dans ses relations avec des proches, Yacine a longtemps été un rouage d'un système d'influence qui donnait raison aux plus forts, et notamment aux hommes (surtout s'ils étaient plus âgés ou plus puissants). Il a beaucoup justifié sa participation à des procédés autoritaires par toutes sortes de rationalisations abstraites idéologiques et théoriques, autant que par un recours au *consensus*, signature de toutes les formes de perversion : « ça se fait », « puisque cela se fait, je n'ai rien à dire » ou encore « c'est comme ça », « cela a toujours été ainsi » ; banalisation du mal par excellence ! Grâce aux encouragements et au soutien de sa compagne, Yacine est capable aujourd'hui de s'en rendre compte et de se remettre en cause. De surcroît, il a lui-même choisi et accepté au préalable de se libérer des drogues qui l'insensibilisaient. « Cela me permettait de me déconnecter de la réalité, surtout de mes sensations et de mes sentiments », explique-t-il depuis. « Pour moi, la cigarette était un vrai blindage contre mes émotions, une cuirasse qui m'empêchait de ressentir quoi que ce soit. Quant à l'alcool, c'était une bonne excuse pour dire et faire n'importe quoi, même de violent, en prétendant que je n'en étais pas conscient. » Avec le sevrage, Yacine découvre à quel point il est fragile : « Je suis peu de chose, je me sens dépassé ou bouleversé par des petits riens ; je mesure aujourd'hui l'ampleur des dégâts : j'étais devenu un robot, une machine, un automate programmé pour écraser les autres. »

Comment des personnes comme Yacine, qui sont en réalité d'une extrême sensibilité et d'une profonde vulnérabilité, en arrivent-elles à devenir les acteurs ou collaborateurs de systèmes d'emprise, en s'insensibilisant par toutes sortes de subterfuges, notamment par des stupéfiants[1] ?

Un enfant équilibré et en bonne santé peut être caractérisé par un *élan de vie* vers l'extérieur (les autres, la nature, le monde) et un *regard intérieur* (il se perçoit et il perçoit ce qui l'entoure à partir de ses vécus intimes, de ses ressentis à lui). Lorsqu'un adulte (parent ou professeur) le désigne pour le reprendre, le réprimander ou

---

1. Voir aussi M. Milner, *La folie refoulée des gens normaux*, Érès, 2008.

même pour le complimenter ou le féliciter, il lui dit : « tu es ceci ou cela ». Ce phénomène de désignation venant du dehors provoque un détour forcé de l'enfant vers *l'image extérieure de soi*, c'est-à-dire que cela le pousse à construire une idée sur lui-même, un savoir abstrait sur lui. L'enfant est excentré, décentré, déporté de lui-même. Pour reconquérir son équilibre, il a besoin de pouvoir retrouver ses ressentis et la perception intérieure qu'il a de lui-même.

Ainsi, la concordance de la parole de l'adulte avec ses ressentis confirme la véracité de ses perceptions et la validité de son regard intérieur, personnel et subjectif. En revanche, la discordance de la parole de l'adulte avec ses perceptions provoque une déformation et une distorsion de son discernement, en maintenant le regard extérieur, cette vision extériorisée dépersonnalisée qui ne lui appartient plus, et en le laissant décentré, donc étranger à lui-même. Pour s'orienter, l'enfant *hors de lui* a désormais besoin des recommandations de l'adulte : il lui a délégué sa capacité de percevoir et de penser. Il renonce à lui-même ; son développement personnel s'est arrêté. Il va donc imiter l'adulte devenu support d'existence, adopter ses postures, endosser ses comportements, répéter ses discours et défendre les mêmes idéaux. Il devient le maillon anonyme d'une chaîne déshumanisée.

Yacine commence à prendre conscience de son conditionnement d'enfant à partir d'un rêve qui le laisse dans un profond malaise. « Je suis dans un très grand couvent, presque une ville fortifiée, pour une période que je ne connais pas, sans trop savoir pourquoi je dois être là. Je suis enfant. Il est difficile de se retrouver dans les longs couloirs, les grands halls et les cours désertes, sans repères pour s'orienter. J'ai l'impression d'être coupé du monde et de la vie à l'extérieur. La situation me semble absurde. Au moment de déjeuner, je descends vers les réfectoires au sous-sol. Le premier est complet, je descends encore un étage vers le second. Il reste très peu de places. Je m'installe à une table. Je me demande ce que je vais choisir de manger parmi les plats qui sont dans un chariot. Le temps d'aller me laver les mains, il n'y a plus rien à manger. Je remonte donc vers le premier réfectoire, puis je me dirige vers le chariot encore garni et les personnes qui servent. L'une d'elles me demande si je ne viens pas uniquement pour manger plus, comme si je trichais et utilisais une fausse excuse pour leur demander un plat. Je me sens gêné d'être accusé à tort alors que j'ai faim et que je n'ai encore rien mangé... » Ce long cauchemar permet à Yacine de repérer comment le système familial de son enfance reposait sur l'arbitraire, l'absence de repères, la confusion, l'intimidation et la punition : toutes les conditions qui signent la présence d'un système d'emprise. Ce type d'éducation l'a décervelé et rendu extérieur à lui-même, lui barrant toute autre issue apparente que celle de se « fondre dans la masse, entrer dans le rang et faire le jeu du système en épousant ses lois » !

En abdiquant, en sacrifiant sa subjectivité, en se dépouillant de son libre arbitre, en s'en remettant aux mains de ses éducateurs, l'individu se défait de sa sensibilité singulière qui reste en jachère, endormie mais pas morte pour autant. Lorsqu'il a la possibilité, et le courage, de se défaire des automatismes et des défenses (y compris narcotiques) qui lui ont permis d'exister malgré sa béance intérieure, il retrouve une sensibilité d'une grande vivacité et la fragilité intrinsèque à sa condition humaine. Quel que soit son âge, jeune ou vieil adulte, il découvrira peu à peu comment vivre son existence singulière à partir de sa sensibilité personnelle, et non plus en la fuyant ou en l'esquivant.

L'horreur du corps réel

Il est souvent difficile de grandir, de mûrir, de vieillir, de quitter les repères connus et le confort qu'ils apportent, pour accéder à de nouvelles façons d'être, d'exister, de vivre, donc de se situer dans ses relations. Ce refus de grandir, de changer et d'évoluer est surtout un refus de ressentir et de s'incarner dans ce corps-là qui est le nôtre, malgré toutes ses imperfections et ses limites. Paradoxalement, ce phénomène concerne beaucoup de personnes très sensibles, tellement apeurées par leurs fragilités qu'elles ont de grandes peines à s'inscrire dans le concret de la réalité. Elles peuvent ainsi se sentir perdues lorsqu'elles doivent faire face à de petites comme à de grandes modifications : du changement de place d'un objet sur une étagère ou du remplacement des rideaux dans une pièce à la réorganisation d'un magasin habituel ou à un déménagement... Pour certaines femmes, cette fragilité est exacerbée avant et pendant leurs règles ; pour quelques hommes aussi, elle est accrue par le dégoût de leur femme pour toute forme de rencontre sexuelle. Il arrive que ces personnes mettent en œuvre, même malgré elles, une sourde force de destruction (du lien, de soi, de l'autre), inévitablement suivie de découragement, voire de dépression, même si elle est masquée, puis d'une plainte lancinante, qui s'installe et tourne facilement à la revendication.

D'une sensibilité extrême, Nadia n'a jamais aimé son corps. Enfant arrivée « par accident », elle a doublement déçu ses parents puisqu'elle est née fille alors qu'ils attendaient un garçon. Très brillante à l'école, elle est régulièrement première de sa classe, ne partage pas les jeux de ses amies et, plus tard, ne sort pas avec elles. À l'adolescence, elle est directement confrontée au suicide d'une camarade de classe dont elle se sentait très proche. Suit une période d'anorexie. Hospitalisée, le médecin psychiatre abuse d'elle : « je suis sortie encore plus détruite de l'hôpital », constate-t-elle avec amertume. Elle sombre dans les drogues dures jusqu'au jour où elle assiste impuissante à la mort par overdose d'un compagnon d'infortune qu'elle aurait souhaité pouvoir aimer un jour, sans oser le lui exprimer. Mangeant très peu, Nadia retourne avec sérieux à ses études en se promettant de ne jamais tomber amoureuse, tant elle craint de souffrir encore plus. La seule évocation de la sexualité l'effraie : « j'en ai terriblement peur encore aujourd'hui », confie-t-elle gênée, les yeux baissés. « J'étais tout le temps mal dans ma peau, explique Nadia, incapable de m'inscrire dans la réalité : seuls les livres me rassuraient. » Elle est encore ainsi à l'heure actuelle.

Les parents de Nadia étaient de grands idéalistes, marqués par l'idéologie hippie des années 1960-1970 et la croyance sincère que le communisme allait vraiment pouvoir changer le monde. Nadia ne parvenait pas à adhérer aux rêveries de ses parents. Elle savait qu'elle ne pourrait que les décevoir. Elle craignait par-dessus tout de ne plus être aimée d'eux et d'être rejetée.

Pour définir l'emprise qui l'enserre, Nadia avance : « Je ne m'appartiens plus ; j'ai l'impression de ne plus vivre ma propre histoire. » Plus précisément, elle cherche à mieux comprendre son aversion pour la sexualité. Elle perçoit qu'il s'agit surtout d'un dégoût pour le corps de l'homme... Lui reviennent alors des souvenirs de son père, homme très sportif, tirant orgueil de son apparence physique et exhibant son corps nu autant qu'il le pouvait. Il demandait souvent à sa fille de se serrer contre lui pour l'embrasser, ou de laisser la porte de la salle de bains ouverte lorsqu'elle faisait sa toilette, ce qui plongeait Nadia dans l'effroi et la sidération. Sans le moindre tact, son père la dévalorisait en lui reprochant d'être « coincée ».

Les situations d'emprise sont variées et diffèrent entre elles. Certaines formes d'emprise ne relèvent pas directement d'une perversion affirmée et installée, mais plutôt de contraintes mentales, souvent idéologiques, que les parents imposent à leurs enfants en croyant qu'ils les élèvent dans une forme d'éducation meilleure que celle qu'ils ont reçue, que cette éducation soit puritaine, avec le retour en force des fanatismes religieux, ou au contraire libertaire. Ce ne sont pas les choix et les croyances des parents qui sont en cause, ils leur appartiennent, mais la conviction illusoire et très ancrée qu'ils ont du bien-fondé de leurs idées et de la nécessité de les inculquer coûte que coûte à leurs enfants, sans respecter ni leur liberté de discernement, de pensée et d'expression, ni leur développement humain.

L'envie destructrice

> « J'ai reçu la vie comme une blessure. »
>
> Lautréamont

Les individus dont la sensibilité est paroxystique peuvent percevoir intérieurement qu'ils sont « tout le temps sur la brèche ». D'ailleurs, certains se plaignent : « J'en fais trop, sinon je me sens coupable », ce qui en dit long sur les loyautés qui les enferment dans des obligations face aux autres et les poussent à se sacrifier. Preuve, s'il en est, que toute forme d'emprise, extérieure (dans la relation aux autres et au groupe), devient peu à peu intérieure (de soi à soi-même)[1]. Cette suractivité les épuise. Là encore, l'épuisement est un signe que la « position subjective » (la façon qu'a le sujet de se situer) n'est pas juste. À quoi sert-il donc de se croire obligé de répondre aux attentes des autres, quel en est le bénéfice et à quel prix ? En dernier recours, seule la maladie arrête le « toujours plus ».

Cependant, se dévouer sans cesse pour une cause ou pour autrui ne rend pas heureux, loin de là. Insatisfait, mécontent, négatif, l'individu qui se sacrifie (se mortifie) voit surgir en lui des montées de violence face aux personnes vivantes et joyeuses. Son austérité et son sérieux le poussent à les envier. Il lui arrive de détester ceux de ses amis qui savent ce qu'ils veulent, sont épanouis et réussissent[2]. Ces manifestations d'envie mettent en

---

1. S. Tomasella, *Le surmoi – Il faut, je dois, op. cit.*
2. M. Klein, *Envie et gratitude et autres essais*, Gallimard, 1978.

évidence le vide intérieur et l'appauvrissement des ressentis, voire leur absence, chez les personnes paralysées et dévitalisées par l'emprise.

Par moments, Marc est très envieux. Après coup, il le regrette et a des remords : « J'ai toujours voulu aimer et être aimé, malheureusement, dans mon histoire familiale cet amour n'existait pas. » Tout ce que Marc considère comme une injustice renforce et attise sa très grande sensibilité. À tel point qu'il a préféré se couper de sa sensibilité. « Je crois que l'injustice de mes parents à l'égard de leurs enfants, mais aussi leur incompréhension et cette mauvaise opinion que j'avais de moi-même m'ont amené au fil du temps à ne plus accepter d'être sensible et donc à me désensibiliser en me déshumanisant jour après jour. Comme ça, je croyais me tirer d'affaire ! »

Pourtant, ni Marc, ni Yacine, ni les individus qui leur ressemblent ne peuvent éliminer totalement l'humain en eux. Marc explique sa prise de conscience : « Pour ma sauvegarde, j'ai dû faire le choix de revenir en arrière, sur les bases de ce que j'aurais voulu être. Aujourd'hui, j'accepte ma sensibilité, même si ce n'est pas du tout facile. » Souvent, même, Marc ne se trouve pas assez sensible dans le lien avec les autres, pas assez vivant. Dans tous les cas, cette sensibilité peut « déboucher sur des pleurs, des cris, de la colère : je les laisse venir, puis j'y réfléchis beaucoup ». Elle lui semble souvent trop tournée vers lui-même, surtout dans les moments d'angoisse, et pas encore assez vers les autres.

Suite à un rêve, Marc retrouve un souvenir ancien. « C'était une période où j'étais à l'école primaire. Cela se passait le matin lorsque ma mère nous amenait à l'école en voiture. Quand j'y repense, c'était très angoissant. Je ne me souviens pas de mon père, il devait partir travailler plus tôt. Ma mère nous lançait à mon petit frère et à moi : "Je vais me suicider. Je veux mourir. Je suis une esclave. Je n'ai pas de vie. Je n'ai jamais eu de vacances. J'ai travaillé toute ma vie." Elle se plaignait à moi en particulier, parce que je l'écoutais, mais jamais à mon père : elle avait très peur de mon père. Il terrorisait tout le monde. Mon père était un tyran, c'est vrai, mais ma mère ne s'est jamais révoltée contre lui : elle était très plaintive ; tout le temps dans le malheur et la plainte, tout le temps mal quelque part. Elle n'a jamais été heureuse. Elle avait écrit ce malheur dans sa tête. Comme une malédiction, comme une fatalité ; et j'y ai cru, moi aussi ! »

À écouter sa mère, Marc était convaincu qu'elle « vivait un enfer », mais ne comprenait pas pourquoi elle ne divorçait pas, pourquoi elle ne partait pas, pourquoi elle se soumettait. « Ce n'est pas une vie pour un petit garçon », sanglote Marc, qui exprime à quel point il se sentait perdu et angoissé. Il est capable de mesurer aujourd'hui combien l'emprise rend l'enfant *otage* de son (ou ses) parent(s).

Une emprise (celle du père despotique et méprisant) peut en cacher une autre (celle de la mère esclave et plaintive). Sous les feux croisés de ces deux formes d'emprisonnement de son discernement et de sa pensée, l'enfant est réduit au silence, à l'obéissance et à l'impuissance face au spectacle désespérant du désamour entre ses parents. Il ne peut pas appréhender clairement, donc *accueillir*, ce qu'il est et ce qu'il vit. Il n'arrive pas à développer une bonne relation avec sa sensibilité, pas plus du côté de l'impression (ressentir et percevoir) que du côté de l'expression (figurer et parler).

La vraie question n'est pas tant d'être plus ou moins sensible, mais de vivre en conscience, dans la plénitude de nos ressources et au mieux de nos possibilités, la sensibilité singulière qui est la nôtre...

TROISIÈME PARTIE

Bien vivre sa sensibilité

Comme nous l'avons vu, une grande sensibilité est souvent mal vécue par celui qui l'éprouve, et peut être, également, mal reçue par son entourage. Découragés, certains d'entre nous peuvent alors penser qu'ils sont décidément trop sensibles pour vivre heureux, en harmonie avec eux-mêmes et avec leur entourage.

Pourtant, nous pouvons faire le choix d'écarter la fatalité de notre chemin et adopter un autre angle de vue, afin d'être au mieux qui nous sommes. Ainsi, l'actrice Marion Cotillard déclare lors d'une interview : « J'ai toujours eu une grande sensibilité [...] Heureusement, cette hypersensibilité aggravée est compensée par une nouvelle aptitude à rire de moi-même et de mes réactions émotives, qui peuvent être démesurées[1]. » Elle ajoute qu'elle a appris à se recentrer sur elle-même, qu'elle a développé également une capacité de recul et un humour salutaires vis-à-vis d'elle-même.

Il est donc possible de changer le regard porté sur soi et de trouver des façons de vivre en accord avec soi-même. Comment y parvenir ? Par quels processus ? Nous allons le voir...

---

1. *Psychologies Magazine*, 26 mai 2012.

13

NI GÉRER, NI SUBIR :
VIVRE NOS ÉMOTIONS

> « *Le miracle est intérieur. Il puise sa source*
> *dans le renoncement aux idées noires*
> *issues de l'enfance.* »
>
> A. Strauss, O. Redon

La plus grave erreur concernant la sensibilité (et surtout l'hypersensibilité) est de la considérer comme incongrue, gênante, ou pire : « pathologique ». Notre monde contemporain a trop tendance à tout vouloir « normaliser », donc « morbidiser » (rendre morbide), en faisant croire hâtivement et sans honnêteté que tout ce qui sort des cases « normal » et « standard » relève de la maladie. Pourtant, un des fondements de l'équilibre psychique, donc de la santé, réside dans la vigilance à *ne pas croire* ce que les autres disent de nous, et surtout à ne pas s'y réduire. Il est déjà bien difficile de se connaître soi-même ; l'autre peut difficilement nous connaître mieux que nous-mêmes. Cela n'empêche pas, bien entendu, d'écouter de vrais amis avisés, qui perçoivent nos façons d'être au monde et en relation, et peuvent témoigner de ce qu'ils constatent chez nous, sans nous juger.
Une autre des clés de la santé psychique est d'être en mouvement et en alerte, donc en recherche. Il s'agit de ne pas nous asseoir sur nos certitudes, de ne pas nous figer

dans nos habitudes, de ne pas nous laisser pétrifier par ce que nous croyons, de ne pas nous amollir dans le confort du convenu, mais d'être en action : de passer de l'état (inerte) au *processus* (fluide), qui est le signe du vivant.

Françoise Dolto le signifiait clairement lorsqu'elle parlait de l'*allant-devenant du désir* : l'être humain est en marche, devant lui, il va et devient selon ses aspirations profondes, selon sa sensibilité propre.

Il ne s'agit donc pas de contraindre, de brimer ou de censurer sa sensibilité, même particulièrement forte : il s'agit de l'écouter, de lui faire de la place et de l'exprimer au plus juste. Il n'est pas question d'empêcher toute manifestation émotionnelle, mais de vivre ses émotions sans les subir. Comment ? En créant de l'espace, en laissant un espace ouvert pour soi et pour l'autre : pour que puisse exister la sensibilité des uns et des autres, comme elle apparaît, au détour des surprises de la relation.

Devenir humain est une conquête quotidienne. Celle-ci passe par la fierté d'être sensible, puisque la sensibilité caractérise l'humain et que chaque être est spécifique. Ma liberté m'engage donc à *ne permettre à rien ni à personne de me démolir*, ce qui rejoint cette belle maxime de Frederick Mattias Alexander : « *Ne se laisser rétrécir par rien, par personne et surtout pas par soi-même*[1]. » Bien vivre sa sensibilité n'est pas donné une fois pour toutes ; cela requiert de s'affirmer pour confirmer instant après instant la légitimité de son existence sur terre comme être humain unique.

---

1. C. Hardy, L. Schifrine, S. Tomasella, *Habiter son corps – La méthode Alexander*, Eyrolles, 2006.

La sensibilité, organe de la perception

> *« La vie est une comédie pour celui qui pense,*
> *une tragédie pour celui qui sent. »*
>
> Proverbe espagnol

Le dilemme provocateur de la sagesse populaire espagnole n'est pas insoluble ; il invite à passer du deux au trois en créant des ponts : sentir et penser, pour être capable d'agir au mieux...

Les mots que nous utilisons sont souvent appauvris par l'habitude et les automatismes. Nous ne savons plus exactement ce qu'ils veulent dire. Nous les utilisons machinalement. Tronqués, mutilés, amputés, qu'ils soient ou non abrégés pour devenir encore plus familiers, ils sont alors branchés sur le consensus social, le moule normatif du système culturel, ce grand sac vide des opinions courantes.

L'utilisation des mots justes est particulièrement précieuse. Elle permet de mieux s'y retrouver dans nos existences. Il est long et souvent difficile de parvenir à percevoir exactement la réalité telle qu'elle est. Aussi, le mot « ressenti » est-il fréquemment employé à mauvais escient. Sentir et ressentir sont des verbes d'action : ils correspondent à des agissements, donc à des moments durant lesquels nous sommes en mouvement, nous sortons du repos, de l'immobilité, voire de l'inertie, pour agir – déjà en nous-mêmes, pour percevoir la réalité par son impact sur nos sensations. Cela signifie que nous sommes dans ce que nous faisons, que nous en prenons l'*initiative*. Malheureusement, une utilisation erronée du mot « ressenti » aboutit à des erreurs d'interprétation, donc à des malentendus. Pour certaines personnes, il s'agit d'une croyance, d'une idée ou d'une supposition. Lorsque vous leur demandez ce qu'elles ressentent, elles vous disent ce qu'elles croient, ce qu'elles imaginent, ce qu'elles supposent, mais pas du tout ce qu'elles sentent. En effet, le ressenti désigne une sensation, une émotion ou un sentiment. Rien de plus. La pensée ne vient qu'après. Elle s'élabore progressivement à partir des ressentis (sensations, émotions, sentiments) ainsi que des intuitions. La même confusion existe fréquemment dans le langage courant entre impression (il me semble que) et perception (je constate que). Cette confusion peut engendrer des conflits, puisque les personnes qui s'opposent ne vont parler ni de la même chose, ni sur le même plan.

Un homme et une femme sont très amoureux. Ils sont tous les deux des êtres extrêmement sensibles. Ils sont ensemble depuis plusieurs mois et rien ne semble pouvoir ternir leur belle entente faite d'attention, d'écoute, de tact et de sentiments profonds réciproques. La seule ombre au tableau concerne la relation que cette femme entretient encore avec son ex-compagnon, dont elle assure n'être que l'amie, sans le moindre souhait de retourner un jour éventuellement avec lui. Son compagnon actuel accepte cette situation un peu incongrue et déstabilisante : il fait confiance à la femme qu'il aime. Néanmoins, à certaines occasions, l'empressement, l'euphorie et l'excitation de sa compagne, lorsqu'elle parle avec l'ex-compagnon, plongent l'homme dans le doute, ou même dans un profond malaise. Retenu, il ne cherche pas à contrarier sa fiancée. Lorsqu'ils en viennent à parler de cette situation et qu'il exprime simplement ses ressentis, la femme se braque et l'accuse d'être jaloux :

c'est en tout cas ce qu'elle croit, à tel point qu'elle en est maintenant persuadée. Cette croyance lui tient lieu d'explication. Son compagnon essaie de préciser qu'il n'est pas jaloux, qu'il exprime seulement son malaise. Lorsque leurs échanges se tendent, il peut devenir véhément face à la fermeture de sa compagne, qui lui reproche alors d'être aussi violent que moralisateur. Installé, le malentendu devient un conflit de fond.

En fait, ces diverses conceptions des ressentis correspondent à trois postures psychiques face à la réalité, souvent inconscientes, ce qui renforce les incompréhensions et les malentendus.

- Pour celles et ceux, comme cette femme, qui fonctionnent à partir des opinions de toutes sortes, un ressenti se réduit à une *impression*, au niveau de l'imaginaire et des suppositions. En conséquence, ces personnes ont de la réalité une vision faussée, fondée sur leurs interprétations et leurs illusions. Comme tout se joue ici au niveau de leurs croyances, il est très ardu de leur faire entendre qu'ils ne désignent pas la réalité mais seulement leurs idées sur la réalité.

- D'autres, comme son compagnon, expriment leurs sensations, et parfois aussi les images intérieures qui en découlent : ils font appel à leur sensibilité et se situent dans le domaine des perceptions, donc de l'*expérience* de la réalité éprouvée, sans idée préconçue. Comme il n'est facile pour personne d'observer puis d'expliciter ses sensations, le temps pour témoigner de l'expérience vécue est plus long que pour affirmer des idées sur la situation.

• Enfin, il existe des individus, comme l'ex-compagnon, qui ne vont se situer que dans une forme distante d'observation froide, extérieure et non impliquée, des autres et des événements. Souvent méprisants et moqueurs, voire cyniques et sans cœur, imposant un discours cru ou décapant sur un réel brut, anonyme, ces individus fonctionnent dans le registre de l'intellectualisation et de la *dissociation* (coupés de leurs ressentis, qu'ils refusent), c'est-à-dire de l'insensibilité. Pour eux, toute personne sensible sera facilement taxée d'hypersensibilité ; la sensibilité étant considérée comme un défaut méprisable ou une fragilité, voire une tare.

Un soir, chez des amis, une dispute sourde éclate entre les deux amoureux, après une conversation téléphonique de la femme et de son ex-compagnon, durant laquelle elle était particulièrement enjouée, puis émoustillée lorsqu'il lui raconte une aventure sexuelle sans lendemain qu'il venait d'avoir avec une très jeune femme, de plus de vingt-cinq ans sa cadette, qu'il s'est vanté d'avoir consommée sans donner suite, sans même la rappeler, malgré les promesses qu'il lui avait faites pour la séduire. Une fois seuls, l'homme explique sa révolte à sa compagne : le comportement de l'ex-compagnon de celle-ci le dégoûte ; il ne comprend pas pourquoi elle est complaisante avec lui, elle d'ordinaire si pudique et si respectueuse. Pourquoi se laisse-t-elle influencer par lui ? Là encore, la femme se braque, désignant son compagnon comme intolérant et étroit d'esprit. Elle reprend même une formulation brutale et cynique de son ex-compagnon[1]

---

1. De fait, les personnes qui appuient leur discours sur les idées communes, plutôt que de fonder leur pensée sur leurs perceptions singulières, sont plus influençables et risquent plus de se trouver sous l'emprise d'individus malveillants, y compris en répétant les formules toutes faites qui participent de leur décervelage...

en lançant sèchement : « chacun fait ce qu'il veut de son cul » !
Elle refuse d'entendre que son compagnon exprime uniquement,
sans jugement[1] ni complicité, ses perceptions sur la réalité, et ici
sur un comportement qui ne correspond pas à sa conception de
la relation entre humains. Le malentendu perdure dans le couple,
rendant chacun très malheureux et découragé.

Lorsqu'un conflit surgit, ou même s'installe, la sensibilité
de chacun est exacerbée ; à plus forte raison si ce conflit
naît d'une incompréhension dont le point de départ est
la différence de position subjective face au réel, donc la
place accordée ou non à la sensibilité comme vecteur
de perception... Lorsque la sensibilité de chacun permet
de percevoir la réalité, les mots utilisés pour décrire les
sensations favorisent un échange juste et nuancé. En
revanche, si le langage n'exprime que des idées, des
préjugés ou des croyances, la sensibilité est écartée, le
réel ne peut plus être perçu tel qu'il est : l'entente ou
la mésentente résultent du seul partage de références
théoriques ou morales.

Accueillir les phénomènes

Il semble plus commode et confortable de croire que
le monde correspond à certaines idées glanées depuis
l'enfance auprès de figures faisant autorité ou auprès
de groupes de référence. Cela peut même donner beaucoup d'assurance à ceux qui affirment aveuglément, avec

---

1. Bien entendu, pour être précis, juger n'est pas *évaluer*, acte nécessaire au discernement.

aplomb et sans l'ombre d'un doute, des « vérités » abso-
lues (qu'elles soient médicales, politiques, religieuses, etc.).
Il est bien plus ardu de constituer peu à peu sa propre
conception de la vie, du monde, de son existence à partir
de ses expériences. Cette démarche est personnelle et
non plus institutionnelle, individuelle et non plus sociale,
scientifique et non plus dogmatique.

Elle a été mise en évidence, puis à l'honneur, dès la fin
du XVIIe siècle par les philosophes des Lumières.

Il s'agit en fait d'une exigence simple à définir, mais difficile
à mettre en œuvre : observer les phénomènes, tels qu'ils se
présentent à nous, avec un œil neuf, sans préjugés, sans
préconception (sans interprétation préalable), dans leur
déroulement dynamique, selon leur mouvement propre.

Cette démarche n'est possible que si nous nous mettons
à l'écoute de notre sensibilité, donc des informations
qu'elle nous apporte sous forme de ressentis. Une sensibilité foisonnante et très développée n'est donc pas
un handicap, au contraire : elle demande seulement de
prendre plus de temps pour faire le tri et démêler tous
les flux des informations sensorielles qui surviennent.

D'une sensibilité extrême, « tout le temps à fleur de peau », Lizzy
commence à mieux se repérer dans le flot de ses sensations, y
compris en se protégeant lorsque cela lui semble nécessaire. « Je
vis l'instant intensément s'il est positif, ou j'essaie de me protéger
s'il s'avère difficile. Je peux éprouver une grande fatigue quand
je lutte contre les effets de ma vulnérabilité, par exemple si je
me sens déstabilisée par les propos peu valorisants des autres. »
Lizzy fait la part des choses. « Cette sensibilité est aussi un atout,
elle magnifie les sensations : cette pensée même me réconforte. J'essaie en quelque sorte de transcender ma sensibilité,

de l'utiliser, car elle me fait me sentir vivante, je la considère comme une qualité. Elle me rapproche des autres. Parfois je me sens impuissante à réguler le flot et je me sens submergée, incapable de calmer l'émotion, j'ai alors besoin de temps pour comprendre et intégrer ce qui s'est passé, pour le mettre en mots. Intellectualiser ce qui m'arrive m'aide beaucoup, même si l'émotion perdure longtemps. Par intellectualiser, j'entends comprendre, rationaliser et essayer de retenir les divers mécanismes qui ont conduit à la situation de stress, de souffrance, pour ne pas réitérer les mêmes schémas et éviter l'enfermement. »

Comme beaucoup de personnes qui se trouvent « hypersensibles », Lizzy se comparait beaucoup aux autres, se trouvant trop fragile par rapport à eux, qu'elle idéalisait, donc moins intéressante, moins forte, moins aimable, etc. Elle a mis du temps à quitter la dévalorisation de sa personne et de son existence, pour se considérer comme unique, singulière et valeureuse. Elle a même compris, un jour, que *tout jugement est un choix et un acte de « non-amour »*. Chacun de nous peut préférer faire le choix de la liberté et de l'amour. La démarche intérieure qui lui a permis de se trouver, elle, fière de sa sensibilité et de son tempérament, peut être résumée schématiquement en trois phases.

• Trouver les mots justes pour décrire ce qui est ou a été vécu. Le réel est *réalisé*[1], il devient conscient ; le souvenir ne hante plus obscurément, il devient une mémoire consciente.

---

1. P. Delaunay, *Les quatre transferts, op. cit.* « Je réalise » signifie « je prends conscience », « je comprends », etc.

- Accepter de laisser les idées abstraites, les idées communes, ou même plus simplement les idées des autres, pour déceler et capter en soi les visions intérieures : « images-sensations », images du corps ou *images sensibles* : l'articulation entre l'âme et le corps est retrouvée[1].
- Choisir l'amour : ne plus se dénigrer soi-même ou se dévaloriser par rapport aux autres, mais apprendre à s'aimer, notamment en appréciant à sa juste valeur sa propre sensibilité...

De son côté, Djamel se rend compte en racontant ses souvenirs qu'il est particulièrement sensible aux lieux, aux bâtiments, aux rues, aux parcs... « J'ai vécu ces cinq dernières années à Marseille et je me suis dit que je pourrais cartographier tous les endroits de cette ville dans lesquels j'ai des souvenirs particuliers. » Puis, il prend le temps de décrire un à un ces endroits chargés d'émotions, de sentiments et de son histoire personnelle, pour mettre en lumière la façon dont il a constitué son identité.

> « Je me suis construit tout seul par timidité et peur des autres, des enfants de mon âge, des professeurs, des "plus grands". L'environnement en général m'a toujours offert des repères, des lots de consolation, des endroits pour me cacher, pour m'isoler, pour m'émerveiller... Le jour où j'ai compris que je ressentais cela non pas seulement dans mon village natal mais partout où je mettais les pieds, je n'ai plus eu peur de voyager, d'explorer et de vivre ailleurs, j'arrive à trouver de la beauté et de la poésie partout aussi bien dans un paysage naturel que dans un environnement urbain ou industriel. Je vis parmi mes histoires et mes espoirs partout où je suis. »

---

1. S. Tomasella, *L'inconscient, op. cit.*

Notre sensibilité est palpitante et active. Elle est un merveilleux trésor de mémoire ardente, plus ou moins disponible selon les instants et les circonstances. Les personnes les plus sensibles sont aussi les plus vivantes, les plus humaines, les plus créatives ; celles dont la mémoire est la plus vive, la plus riche et la plus accessible. Cela vient confirmer, une fois de plus, à quel point la sensibilité – même extrême – ne peut pas être considérée comme une tare ou un défaut, encore moins comme une maladie : il est nécessaire de la réhabiliter dans toutes ses dimensions et à tous les niveaux de la vie en société[1].

Percevoir pour concevoir

Désormais, les passages entre l'expérience sensible (autant sensorielle qu'affective) et la rationalisation peuvent advenir par allers et retours, sans privilégier l'une par rapport à l'autre.

Camille en témoigne : « Soit j'exprime ma sensibilité, soit j'intellectualise ! Intellectualiser me protège et m'éloigne un peu de ma sensibilité. Par exemple, j'ai appris à mettre ma sensibilité de côté si j'ai affaire à des gens insensibles. Cela ne dure qu'un temps et cela ne m'empêche pas de retrouver ma facilité à parler de mes sensations, de mes émotions et de mes sentiments. J'essaie aussi de garder intacte mon aptitude à être surprise par l'imprévisible. La sensibilité est une qualité humaine. En tant que personne hypersensible, j'en suis remplie à ras bord. L'écoute attentive d'un proche m'aide à calmer le jeu en faisant baisser en moi l'excès de pression. »

---

1. L. Israël, *Boiter n'est pas pécher*, op. cit.

Intellectualiser ou rationaliser n'est d'ailleurs pas qu'une défense momentanée (ou installée) contre sa sensibilité en excès ou l'insensibilité des autres. Comme l'affirmait Lizzy, elle est aussi un outil précieux pour chercher à comprendre ce qui nous arrive, pour se le représenter et lui donner une forme qui a du sens : cela rend possible de *passer du sensible au sensé*. D'autant qu'en réalité tout est lié : il n'y a pas de coupure entre le sensible et le sensé, mais des connexions d'abord intangibles et invisibles, que nous pouvons rendre tangibles et visibles, par les mouvements de notre conscience. Ainsi, percevoir permet de concevoir. La réalité extérieure que nous décelons par l'écoute ou l'observation devient une réalité intérieure, personnelle, que nous pouvons élaborer en pensée propre. Réciproquement, lorsque nous repérons suffisamment une réalité intérieure, nous pouvons l'exprimer clairement pour la partager avec d'autres, donc la rendre extérieure. Comme une respiration...

Marie-Josèphe Jude explicite les correspondances qui relient les phénomènes très divers qui interviennent dans ce processus d'élaboration et d'expression :

« Les sensations, les émotions, les sentiments font partie de la sensibilité, tout cela est fondamentalement lié. On pourrait parler d'enchaînement, de suite logique : un sentiment fait naître à la fois des sensations, des émotions ; l'inverse existe aussi, quelqu'un peut tout à fait ressentir une émotion indicible en rencontrant une personne, et cela se transforme peu à peu en un sentiment amical ou amoureux. »

À la fois complexe et subtil, ce tissu de correspondances est un *tissage de sensations et d'images*, il constitue le tremplin de notre capacité à penser le réel[1]. Il correspond d'ailleurs aussi à la trame de notre enveloppe psychique, notre « peau d'âme », qui dessine les contours de notre être intérieur. Nous pouvons donc mesurer à quel point une bonne relation avec notre sensibilité est vitale !

« L'être sensible va plus vite au cœur des choses, il ne perd pas de temps à chercher de façon abstraite, son ressenti va plus vite que l'intellect. Mes étudiants me montrent chaque semaine à quel point ceux qui ressentent les émotions dans leur vie sont capables de les traduire en jouant. On ne peut rien expliquer à celui qui ne ressent pas, malheureusement. Il ne peut que reproduire un enchaînement de sons en ne pouvant se fonder que sur le volume de ceux-ci, leur vitesse d'émission et leur agencement... Tout devient extrêmement compliqué parce que cela nécessite de réfléchir à chaque instant ! C'est épuisant... »

Le constat très précis de Marie-Josèphe Jude, dans son activité d'enseignement du piano, est valable quel que soit le domaine d'expérience.

Deux extrêmes sont à éviter : se situer soit uniquement dans la réflexion, la mentalisation, l'intellectualisation, soit exclusivement dans le sensationnel et l'émotionnel. Ce sont les va-et-vient entre activité de sentir et activité de penser qui favorisent un équilibre personnel et une bonne relation avec sa sensibilité : ni trop, ni trop peu. D'autant que sentir ne signifie pas se vautrer dans les émotions ou barboter dans la sensualité, pas plus que penser ne signifie mentaliser ou supputer.

---

1. S. Tomasella, *L'élan créateur*, IPM, Montpellier, 2001, repris dans *Vers une psychanalyse de la marque et de ses expressions*, Université de Nice Sophia-Antipolis, 2002.

Il ne s'agit ni d'élucubrer, ni d'édulcorer, mais d'élaborer la réalité perçue de façon sensible, sans « pathos », c'est-à-dire sans la réduire non plus aux sensations ou aux émotions que nous en retirons... Encore une fois, la véritable différence réside du côté des *processus* : non pas des concepts figés, absolus, abstraits, schématiques ou généraux, qui sont des notions sans image ou des idées sans incarnation, mais des réalités en mouvement : des phénomènes complexes, relatifs, concrets et singuliers. Les perceptions de ces phénomènes sont élaborées à partir d'*images intérieures*[1], c'est-à-dire de visualisations personnelles, qui sont « des actes de symbolisation par lesquels chaque sujet singulier s'approprie ses expériences subjectives du monde[2]. »

La dynamique évolutive d'un processus psychique s'organise donc selon trois étapes principales, qui correspondent à des actions psychiques fondamentales, en lien direct avec la sensibilité :

• Le temps de *sentir* : l'action intérieure de percevoir, de déceler ses ressentis concernant la réalité, notamment à partir de ses sensations, qui sont des informations sur le réel vécu.

• Le temps de *comprendre* : l'action intérieure de concevoir, de se figurer, de réaliser, de s'approprier le réel perçu, ce que les psychanalystes nomment élaboration ou symbolisation.

• Le temps d'*agir* : à l'action intérieure de choisir et de décider, à partir de ce qui a été senti (perçu) et compris (symbolisé), succèdent une ou plusieurs actions

---

1. S. Tomasella, *La traversée des tempêtes*, op. cit., pp. 137-145.
2. S. Tisseron, *Y a-t-il un pilote dans l'image ?*, Aubier, 1998, p. 140.

extérieures (ou vers l'extérieur), qui peuvent être de s'exprimer de façon artistique, de parler dans une langue ou une autre, de se mouvoir, de travailler, de s'occuper des tâches du quotidien, de se reposer, de lire, d'écouter de la musique, de communiquer avec quelqu'un, de prendre soin de l'autre ou de soi, etc. Agir peut également concerner une action intérieure (ou vers l'intérieur) : un nouveau regard sur soi, sur les autres, sur le monde, une nouvelle disposition personnelle dans telle ou telle situation, une façon plus claire de se situer ou de prendre position, etc.

Nous avons pu voir que de telles actions sont très importantes pour mieux vivre sa sensibilité (seul ou avec les autres) : sentir, comprendre, agir sont indissociables et forment un processus complet.

14

ACCUEILLIR LA COMPLEXITÉ

> *« De nos jours, malheureusement,*
> *tout le monde se prend*
> *pour un psychologue.*
> *Mes patients m'expliquent en détail*
> *de quels complexes ils croient souffrir. »*
>
> A. Christie

Comme le médecin du roman d'Agatha Christie, beaucoup de nos patients commencent leur psychanalyse avec des explications très construites et parfois très figées sur leurs maux. Ils emploient un grand nombre de termes techniques, lus et entendus ici ou là. Ils voudraient bien convaincre le praticien qu'ils en savent long sur eux-mêmes, des causes aux effets, et même des diagnostics jusqu'aux remèdes ! Leurs certitudes habilement rationalisées et leurs discours brillamment contrôlés ne laissent plus de place à la découverte, à la complexité, donc au changement.

Nous l'avons abordé dans le chapitre précédent, de nombreux biais peuvent venir entraver l'accomplissement complet d'un processus psychique global :

- Se persuader soi-même, s'affirmer ou vouloir convaincre l'autre en s'appuyant sur des impressions, des croyances, des suppositions ou sur des idées généralement admises, même issues de la psychanalyse, plutôt que sur son expérience, ses perceptions, les images intérieures originales qui en découlent, donc sur sa pensée sensible et singulière.

• Se complaire dans les ressentis en évitant toute forme de réflexion ou, au contraire, survaloriser l'intellectualisation et la rationalisation en évitant ou niant tout ressenti.

• S'arrêter un temps trop tôt : sentir, puis comprendre, sans accepter d'en tirer les conclusions qui s'imposent ou même simplement se dessinent, donc refuser d'agir en conséquence.

Plus encore, comprendre étant l'articulation entre sentir et agir, la compréhension peut être perturbée par des certitudes profondément ancrées, qu'elles soient théoriques, idéologiques, doctrinales ou tout simplement simplificatrices. En effet, *accueillir la complexité de la vie et du monde* est une tâche ardue et sans fin ; à l'inverse, nous avons tous tendance à rabattre la réalité vers des explications restreintes, donc à réduire les situations vécues à des schémas tronqués.

Ne pas vivre par peur de mourir

Parmi ces schémas simplificateurs résident très souvent les idées erronées que nous nous faisons sur nous-mêmes. Nous croyons que nous sommes ceci ou cela : nous n'en démordons pas ! À l'extrême, certains se définissent même par le nom de leur maladie ou de leur trouble, comme si leur identité s'y limitait. Curieusement, certaines formes de sensibilité exacerbée sont liées au *refus d'évoluer*, de changer d'habitude, d'être bousculé par la moindre nouveauté. Vivre serait trop risqué, puisque cela conduirait inévitablement à se confronter un jour, inéluctablement, à la mort...

Installés confortablement dans la routine rassurante de la maladie et de tous les gestes répétitifs de parade ou de soin qu'elle semble nécessiter, ils suivent le cours tranquille des habitudes et n'évoluent plus. Tout ce qui les sort de leurs automatismes et de l'immobilisme qui en découle, y compris concernant la conception qu'ils ont d'eux-mêmes et de leur mal, les précipite dans l'angoisse et la panique ! Leur existence se referme alors de plus en plus autour de la répétition à l'identique des situations limitées qui seules les réconfortent et des idées limitantes qui les justifient.

D'une sensibilité très vive, Chloé paraît extrêmement fragile les premières fois où je la vois. Cette femme de vingt ans, au visage éteint et plombé par l'angoisse, était envahie par un réseau de peurs handicapantes qui l'empêchaient de vivre sa vie de jeune femme et la rendaient très dépendante de ses proches, notamment pour se déplacer. « Ma peur est la peur de vomir. Je vis avec ça depuis que j'ai quatorze ans. Au début je ne voyais pas ça comme une peur et cela ne m'empêchait pas de vivre. Mais au fur et à mesure que j'ai grandi, cette peur de vomir n'a fait qu'empirer, tout ce que j'assimilais à vomir devenait une peur supplémentaire à celle-ci. Je me lavais les mains sans cesse, n'allais plus aux toilettes publiques, etc. En période de gastroentérite, j'étais terrorisée, j'en suis même venue à ne plus vouloir aller à l'école, à ne plus vouloir rien faire seule, à ne plus sortir, de peur de vomir à tout instant. Cette peur prenait une emprise sur moi que je ne pouvais pas contrôler.

Et quand je savais que quelqu'un allait vomir, je me mettais à angoisser, trembler, pleurer. Puis, quand j'avais peur de vomir moi-même, c'était tout cet énorme stress, mais en pire. C'est simple, pour moi j'allais vomir, donc mourir. Je ne bois pas non plus d'alcool de peur de vomir et moi qui aime sortir et m'amuser, je n'allais plus à des fêtes, plus chez des amis… »

Comme une personne qui imagine être allergique à la poussière, au soleil, ou même à l'air extérieur, Chloé était devenue prisonnière de ses angoisses. Elle prenait des médicaments pour une maladie qui n'existait pas, mais qu'elle craignait terriblement et dont elle guettait le moindre signe. Elle ne faisait plus rien à cause de cette peur qui la hantait à tout moment et occupait toutes ses pensées.

« À force, j'ai commencé à considérer cette peur permanente comme une sorte de maladie, j'ai donc décidé de me faire soigner, de me faire aider en faisant une psychanalyse car c'était devenu absolument invivable. Cette psychanalyse a été une révélation pour moi : j'ai compris ce qui m'arrivait, j'ai réussi à faire des efforts pour sortir de mes habitudes et à revivre petit à petit une vie sans peur. Progressivement, j'ai pu comprendre cette peur de vomir. Je n'en suis pas encore définitivement défaite, mais je peux faire les choses seule, sortir, aller à l'école sans avoir la peur au ventre constamment et je n'y pense plus tout le temps. J'ai évolué, je me sens mieux maintenant que j'ai accepté de me faire aider. Maintenant, j'en parle facilement. J'ai rencontré deux personnes ayant cette peur aussi : je me dis que je ne suis pas la seule et je me sens comprise. Je peux affronter mes peurs, en parler et les dépasser. »

L'inquiétude, le doute, l'anxiété et l'angoisse sont les plaies des personnes hypersensibles ; ces plaies, souvent accompagnées d'impatience, d'irritabilité et de nervosité, rendent ces personnes plus difficiles à supporter. Les proches leur renvoient l'idée qu'elles sont insupportables et impossibles à vivre, relançant l'inquiétude et l'anxiété, nourrissant sans fin les doutes et les angoisses. Comme si, lorsqu'elle est mal accueillie et mal vécue, l'hypersensibilité entretenait l'hypersensibilité. La personne qui souffre de sa sensibilité à vif se sent dans le tourbillon d'une tornade dévastatrice qui tourne sur elle-même, et dont il lui semble improbable de sortir un jour...

L'art de l'intuition

Une voie pour sortir de l'impasse est d'apprendre à se mettre à l'écoute de son intuition, à son école, et à la suivre avec confiance. Le plus souvent, nous restons pétrifiés parce que nous avons oublié que nous pouvons bouger. Nous restons donc sidérés tant que nous oublions que nous sommes capables de penser ; or, dans les situations les plus difficiles ou complexes, penser requiert de mobiliser nos ressources les plus profondes, notre « petite voix intérieure » : notre intuition.
Marie-Josèphe Jude en donne un exemple :
« L'intuition me permet souvent d'avoir des élans spontanés (ou le contraire) pour les personnes que je peux rencontrer au cours de ma vie professionnelle. En général, je ne me trompe pas trop, je suis confortée dans la première impression que j'ai eue... J'ai beaucoup développé mon intuition en étant plus souvent dans le rôle de l'observatrice que de l'actrice. J'adorais observer

lorsque j'étais enfant, juste pour le plaisir de comprendre comment fonctionnaient les relations humaines. Nous sommes une grande fratrie, avec une histoire familiale complexe. »

Comment se développe l'intuition ? Avant tout en étant à l'écoute de soi-même, de ses profondeurs intimes, parfois étranges, donc par l'apprivoisement sensible du *silence*, puis par celui de son désir.

« Mon enfance et mon adolescence se sont passées essentiellement dans le silence. Je ne parlais pas, j'écoutais beaucoup, je me servais de mon piano comme "interprète". Cela a duré jusqu'à vingt ans, âge auquel s'est produite la première fissure dans mon existence. J'avais beaucoup travaillé jusqu'alors, sans me poser trop de questions, puisque cela allait de soi, et que cela semblait contenter ma mère, qui s'était totalement investie dans mon éducation, mes sœurs étant autonomes et mon père n'étant plus là. Bref, il me fallait m'approprier le désir de faire de la musique, et j'ai commencé une thérapie, sur les conseils d'une amie. Je ne savais même pas en quoi cela consistait, mais là encore, l'intuition a joué son rôle, et je sentais que cela m'était devenu absolument nécessaire. C'est à partir de ce moment-là que ma sensibilité ne m'a plus fait peur : j'ai appris à exprimer peu à peu ce que je pouvais ressentir... »

Enfin, le tact ou « toucher d'âme », dans la relation aux autres, notamment les plus simples ou les plus démunis (nourrissons, enfants, vieillards, malades en fin de vie, grands handicapés, etc.), nous pousse et nous aide à développer notre intuition.

« Pour terminer, je crois que ce qui m'a aidée par-dessus tout a été de devenir maman. La communication avec

l'enfant est tellement intuitive au début, on a tellement l'impression de ressentir "à sa place", puis progressivement le rapport quasi "animal" devient peu à peu un échange plus élaboré grâce à l'acquisition du langage de l'enfant ; la relation se transforme tout naturellement. » Pour peu que l'on accepte de ne plus considérer sa sensibilité, même extrême, comme un problème ou une maladie, elle apparaît sous un nouveau jour : un don, une chance ! Elle apporte de nombreux avantages : forte intuition, grande empathie, capacité à communiquer, délicatesse, accueil facilité de la complexité, créativité, talents d'expression artistique, etc. Plutôt que d'en avoir peur ou de s'en plaindre, ne vaut-il pas mieux prendre conscience de ces avantages et les cultiver ? Nous croyions que notre sensibilité était une faiblesse ? Si elle était plutôt une force ?

La sensibilité est bonne conseillère

Le plus simple ne serait-il pas de se dire : « je suis très sensible, oui, c'est vrai, je suis comme cela, c'est bien moi », même si parfois il arrive de souhaiter être autrement pour moins ressentir les émotions et moins en souffrir ? Alors, *comment bien vivre avec une très forte sensibilité ?*

Bien qu'étonnamment sensible, Éric est un professionnel reconnu et très apprécié dans son travail de haut niveau. Il confie comment son tempérament l'aide à faire face à des situations d'une très grande complexité. « J'utilise ma sensibilité au service des autres pour les aider à mieux comprendre les situations et les convaincre de faire autrement. Une sorte de conseil émotionnel spécialisé dans la gestion des relations humaines.

Je pense que ma force de conviction provient de mon extrême sensibilité. Je ressens de manière très profonde les émotions, mais alors qu'avant cela pouvait dépasser un seuil de tolérance et générer des réactions ou des pensées négatives, j'ai l'impression que j'approche tout près de ce seuil mais qu'il n'est plus dépassé. Je me sens grandir et atteindre une certaine maturité qui tend vers l'apaisement de mes émotions intérieures et donc vers une certaine sérénité. Je prends de la distance, je prends de la hauteur et pourtant sans avoir l'impression de faire un effort spécifique pour cela, et surtout sans perdre tout ce que peut m'apporter ma sensibilité. »

Ne pas se renier, rester soi-même, apprendre de ses erreurs, utiliser sa sensibilité pour développer son intelligence, plutôt que la bloquer, la brider ou l'ensevelir, aide à mûrir de façon plus vraie, à apprivoiser peu à peu les émotions qui nous dépassent et à faire confiance à nos sensations.

15

GUÉRIR DE LA SUSCEPTIBILITÉ

« Garde tes larmes, garde tes larmes ;
tu en auras peut-être besoin encore, nounou.
Quand tu pleures comme cela,
je redeviens petite... »

J. Anouilh

Si beaucoup de personnes hypersensibles sont très souvent débordantes de compassion pour les autres, certaines sont aussi particulièrement susceptibles et affirment en souffrir affreusement. Parfois, cela peut aussi engendrer des mouvements irréfléchis, si ce n'est des décisions regrettables.

Le ténor péruvien Juan Diego Flórez le reconnaît volontiers.

« Je suis impulsif, véhément même. L'opéra apprend le respect du corps : être sur scène impose un état d'éveil permanent. J'ai appris à canaliser les énergies négatives. Au début, un mauvais coup de fil avant une représentation me donnait l'envie de tout arrêter[1]. »

À quoi correspond la susceptibilité ? Amour-propre, orgueil, quant-à-soi, égoïsme, égocentrisme ? Volonté d'être irréprochable ou parfait ? Difficulté à supporter la critique ou les remises en cause ? Réceptivité et réactivité extrêmes, notamment à la douleur, à la souffrance, aux

---

1. *Le Figaro*, 24 mars 2010.

reproches, aux déceptions et aux désillusions ? Surtout, comment guérir de la susceptibilité ? Il semble d'abord nécessaire de se détacher du miroir social : à cette importance exagérée accordée à l'image de soi dans le regard des autres. Puis, d'accepter de sortir des sentiers battus, par exemple pour se regarder autrement, pour changer de mode de réflexion, mais aussi pour s'arracher aux justifications, aux préoccupations constamment autocentrées et ne plus tout ramener systématiquement à soi.

Donner de l'espace à sa douleur

Beaucoup d'individus sourcilleux, pointilleux, voire susceptibles, sont excessivement sensibles à tout ce que l'autre peut leur dire de négatif, ou même de moins positif. Ils expriment que cela leur est très douloureux et leur donne « envie de fuir ». Bien souvent, même si dans le présent le reproche est justifié, la situation les ramène dans un passé « insupportable » pour eux : par exemple, cela leur rappelle les reproches perpétuels d'un parent. La souffrance est tellement intense qu'ils sont tentés de fuir et d'arrêter la relation pour échapper à ce schéma. Comme une intolérance ou une allergie, tellement profonde que la moindre particule les fait réagir de façon disproportionnée, énorme. « Je voudrais disparaître, m'enterrer, fuir très vite et très loin, ne plus donner aucune nouvelle, me faire complètement oublier... Chaque fois que j'ai eu envie de disparaître, c'était lié à un conflit affectif. J'ai peur d'être délaissé ou rejeté », expliquent-ils, cherchant sans cesse auprès des autres des preuves de confiance et leur demandant de les rassurer dès qu'apparaît le moindre doute.

Djamel témoigne de la forme que prend cette douleur pour lui et comment il la dépasse. « Lorsque je suis blessé, je baisse la tête et je ferme les yeux : je ressens une douleur, un fantôme venant m'assombrir l'esprit et la ligne de ma vie passée me transperce l'estomac... Puis, je relève la tête et j'essaye de me dire que ce moment douloureux est arrivé pour une raison bien particulière, qu'il fait partie de ma vie, qu'il est une épreuve, que c'est pour moi une occasion de grandir et de devenir une personne meilleure : je relativise. Le conflit ou la possibilité de mésentente me sont insupportables ! Je déteste arguer, discuter, négocier, je fais tout pour quitter une situation désagréable le plus vite possible en fuyant ; bref, c'est très douloureux ! Par exemple, alors que je n'en ai pas forcément les moyens, je vais payer une addition, ramener quelqu'un chez lui, ou, quitte à me sacrifier, je vais prendre la plus grosse part de travail à faire pour le dossier à venir, etc. Je n'arrive pas à m'affirmer. En fait, je veux que personne n'ait rien à me reprocher. L'idée que quelqu'un puisse dire derrière mon dos que je suis avare, feignant ou lâche m'est difficilement supportable... »

Pour Djamel et pour beaucoup d'autres, la contrepartie positive de sa très grande réactivité est évidente. Devenu conscient de cette ressource intérieure très puissante, il peut aller y puiser pour y trouver un réconfort durable, sans plus avoir besoin de quémander des réassurances à ses proches.

« Je bénéficie d'une capacité d'émerveillement très grande. Je pourrais rester des heures entières à regarder la lumière de la lune ; cette lumière, si blanche, si bleue, si grise, si indéfinissable, me ramène à ce qu'il y a de plus beau dans ce monde et me donne presque envie de pleurer... Parfois, dans ma voiture les soirs où la lune est assez grosse et apparente, j'éteins mes phares pour laisser toute la place à la lune pour qu'elle éclaire mon chemin. C'est quelque chose que je trouve absolument magnifique et inqualifiable, je me sens beau et bien dans ces moments, je me sens porté, comme si je ne touchais plus terre, comme si l'inattendu et le magique m'invitaient, moi personnellement, à contempler ce qu'elle cachait au reste du monde ! Je me sens particulier dans ces moments-là, bien dans ma peau et dans ma vie ! »

Accorder de l'espace intérieur aux souffrances qui ne manquent pas de se présenter dans les aléas des relations avec les autres laisse entendre aussi qu'il est bon de ne plus tant se précipiter et de se laisser du temps pour vivre, rêver, penser...

Quitter le temps de l'urgence

Si les reproches qui nous sont adressés dans le présent viennent rappeler plus ou moins consciemment ceux qui nous furent adressés dans le passé, ce type d'amalgame impliquant une forte susceptibilité peut encore s'amplifier[1]. La très grande réactivité, les emportements des personnes susceptibles, ou inversement leur repli mutique, découlent d'une confusion. Elles se sentent attaquées personnellement comme elles ont pu l'être dans une situation plus ancienne : elles voient l'autre comme le système d'origine ou un de ses représentants, un des violenteurs de l'époque. Elles revivent aujourd'hui la critique radicale, l'insatisfaction systématique ou l'interdit de penser et de s'exprimer qui ont pesé sur elles autrefois. « Quoi que

---

1. S. Tomasella, *Le transfert*, *op. cit.*

tu fasses, tu ne nous satisferas pas. Tu n'es pas digne. Tu ne vaux rien ; tu es nul. » Tels étaient les messages explicites ou implicites qui leur étaient adressés, et que ces personnes à vif, manquant cruellement de confiance en elles, semblent entendre à nouveau, sans raison réelle.

Lorsqu'il se sent remis en cause de façon trop violente et injuste, ou devant des personnes extérieures à son entourage amical, Aurélien perd ses moyens, puis se décourage ou même se désespère de façon très intense. Dans certains cas, il se tait, se ferme, s'absente et ne parvient plus à participer à la conversation. Dans d'autres cas, la douleur qu'il ressent est telle qu'il lance des propos durs et cassants, souvent par le biais de raccourcis tranchants. Pour éviter la souffrance, Aurélien a tendance à chercher ce que l'autre a (mal) fait, plutôt que ce qui s'est passé pour lui, ce qu'il a ressenti, ce qu'il a réellement dit et fait, lui. Son but inconscient est de se débarrasser du problème et de la peine qu'il génère, plutôt que de se confronter à la douloureuse réalité. Ce refus rend la discussion impossible ; la résolution du différend est renvoyée à plus tard.

En dehors de cet ajournement du débat de fond, un risque supplémentaire existe. Le cas échéant, les personnes qui sont malveillantes se servent de cette tension, de ce raidissement, de cette brusquerie pour les stigmatiser, détourner l'attention du problème essentiel et empêcher l'expression d'une critique ou même d'une agressivité, c'est-à-dire d'un *questionnement*. En effet, plutôt que de refouler son agressivité envers quelqu'un ou à l'encontre d'une situation pénible, il est préférable d'exprimer clairement son désaccord pour permettre un dialogue, même conflictuel et tendu.

Aurélien se rend compte que sa susceptibilité est une forme de demi-mesure, une façon d'exprimer un mécontentement sans aller jusqu'au bout, sans exprimer assez nettement son désaccord. Il reste dans une posture enfantine, comme si un autre – un adulte symbolique – allait pouvoir résoudre le problème à sa place et réprimander ceux qui lui font du tort ! Également en l'aidant à sortir de ses impulsions de dévalorisation et en le réconfortant, en l'aidant à se revaloriser, à retrouver confiance en lui...

Lorsqu'elle ne peut pas être exprimée librement, l'agressivité (qui est une force de vie) se retourne contre soi-même et donne lieu à des phénomènes d'autodévalorisation ou d'autosabotage. L'équilibre réside dans la disposition naturelle à *exprimer ce que nous ressentons et ce que nous pensons*. Si, pour une raison ou une autre, ce mouvement d'expression est empêché ou interdit, un déséquilibre naît. À ce titre, et plus précisément, n'oublions pas que l'intention cachée d'un individu ou d'un système pervers est de provoquer l'autodépréciation (je ne vaux rien) et l'autodestruction de l'autre, par toutes sortes de subterfuges directs ou indirects. Il s'agit seulement d'une stratégie pour aboutir à la déshumanisation de l'autre, qui en arrive à nier son âme, puis à renier son humanité[1].

Dans le cas des individus comme Aurélien, la susceptibilité est certes une des manifestations de leur très grande sensibilité, particulièrement à vif dans certaines circonstances, mais elle est plus encore une forme de prudence et de timidité, voire de lâcheté, une peur de s'affirmer, pour s'éviter de vivre un conflit inconfortable, une confrontation désagréable ou un débat éprouvant.

---

1. S. Tomasella, *La perversion*, op. cit.

Comment est-il possible de changer de position subjective ? D'abord en la mettant en lumière, puis en sortant du temps de l'urgence, qui est le temps du stress, de la logique et de l'efficacité. L'enjeu est de retrouver le rythme du désir, rythme de la rencontre, c'est-à-dire le rythme du processus et de l'imagination, temps intérieur dilaté de la relation et du lien. Concrètement, comme nous l'avons proposé plus haut, il s'agit de prendre le temps d'accueillir, de recevoir, de sentir, d'entendre, puis de penser, enfin de parler. Si nécessaire, il peut être judicieux de préciser que l'on a *besoin de temps* (pour se reposer, prendre du recul, réfléchir) et de le demander clairement. Il est alors possible de questionner l'autre et d'exprimer son point de vue plus posément, pour dialoguer et échanger.

Pour faciliter le dialogue, il vaut mieux s'en tenir aux réalités intérieures (sensations, images) et extérieures (faits observables), plutôt que réduire l'autre ou la situation à des idées et des notions par le biais d'étiquettes, d'injures et de jugements, qui provoquent inévitablement de la souffrance. L'important est en mouvement : ce qui est en train de se passer, la pensée en cours d'élaboration.

Aurélien a été secoué par toutes ces découvertes. Il a pris le temps de les intégrer pour se transformer en profondeur. Ses relations avec ses collègues se sont détendues. Désormais, il ne cherche plus à avoir forcément raison. Il ne considère plus l'interrogation des autres comme une accusation ou un jugement. Il accepte beaucoup mieux les critiques et commence aussi à les solliciter pour mieux les recevoir.

Guérir de la susceptibilité est le fruit d'un long cheminement intérieur et du détachement qui en découle. En ne se mettant plus au centre de tout ce qui arrive, il est alors possible de ne plus vivre le reproche comme une injustice à son encontre, mais comme un événement, un incident, un « accident » imprévu, une sorte de « carambolage » : la percussion inopinée de deux (ou plusieurs) inconscients...

Aimer et vivre plus fort

La susceptibilité peut enfin prendre racine dans la prétention, plus ou moins consciente, à la perfection : elle apparaît quand cette exigence est déçue, d'une façon ou d'une autre, aux yeux des autres mais aussi à ses propres yeux. Un enfant n'ayant pas vécu de vraies relations d'attention et de respect avec ses proches, n'existant pas réellement pour eux, peut avoir développé la croyance imaginaire que seule la perfection lui permettrait d'être accepté et reconnu : il exige donc de lui-même d'être irréprochable et oriente l'ensemble de son existence en fonction de ce choix. Lorsqu'il défaille et déroge à la règle de perfection qu'il s'est lui-même édictée, il le vit très mal. Il se braque, se bute, se vexe et s'en veut considérablement, tout en redoublant encore plus d'efforts ou de précautions pour se hisser de nouveau vers son idéal inaccessible et prouver qu'il en est digne !

Elsa reconnaît qu'elle « en fait trop, beaucoup trop ». Elle voudrait tout le temps être impeccable et qu'on ne puisse rien lui reprocher. Elle a incorporé la vision du monde de ses parents ; leurs préjugés sur l'existence, la réussite, la société, ce qui (selon eux) « se fait ou ne se fait pas », leurs mensonges sur la réalité. Elle applique encore ce filtre déformant aux situations actuelles de son quotidien et se juge très durement.

Les personnes comme Elsa craignent systématiquement de mal faire. Elles cherchent habilement à masquer leur sensibilité, qu'elles considèrent comme une tare ou une faiblesse inacceptable.

Maintenant, avec plus de recul, Elsa décrit son comportement. « Selon les cas, ou bien je me laisse exprimer ma sensibilité (par des larmes, des paroles, des mimiques), ou bien j'essaie de la masquer par certains subterfuges (éternuement, toux), ou encore je quitte la pièce, je présente mes excuses si je constate que j'ai mis quelqu'un dans l'embarras. Je me suis plusieurs fois demandé comment m'en débrouiller, enviant certaines personnes apparemment moins sensibles. » Son point de vue sur sa sensibilité a pu évoluer récemment. « Finalement c'est tout de même une qualité qui permet de rester humaine. Alors je l'accepte ; j'irais même jusqu'à la revendiquer dans les moments d'euphorie ! »

Le plus difficile reste alors de ne pas douter de soi, de s'affirmer, de dire non, tant l'image que l'on donne de soi peut occuper une place importante dans un équilibre psychique (et affectif) précaire face au regard des autres. Le point nodal de la susceptibilité est très souvent le regard porté sur soi.

Paulo l'explique à sa façon. « Lorsque c'est possible, j'essaie de dissimuler les aspects socialement risqués de ma sensibilité. » Comme Elsa, Djamel ou Aurélien, il avait souvent tendance à fuir les conflits et à vouloir s'échapper d'une relation dès qu'il se sentait mis en cause ou mal perçu. Maintenant, il accepte de plus en plus sa sensibilité, non plus comme un handicap, mais comme une fragilité et une chance à la fois. Il précise un de ces bénéfices. « Il y a une autre conséquence d'une grande sensibilité, c'est la capacité créatrice. En ce qui me concerne, elle s'est manifestée, dans le passé, par une période d'écriture poétique. Celle-ci était très liée à la souffrance psychique. Le plus curieux était que dans certaines circonstances, de lieux en particulier, souvent isolés du monde comme dans une voiture, un train ou un avion, les poèmes surgissaient comme une musique, parfois à la limite de l'inconscient, presque incontrôlés. J'ai bien souvent eu l'impression que cela venait du plus profond de moi, porté par un courant d'extrême sensibilité. Quelquefois, en les relisant bien après, j'y découvrais des sens nouveaux ou des sensations nouvelles. En y repensant aujourd'hui, je crois que c'est lors de ces moments-là que ma sensibilité s'exprimait le mieux. »

Alors, comme l'affirme Paulo, la sensibilité est à la fois une fragilité et une chance ? Oui, certainement. Il explique son intuition : « Être sensible, c'est souffrir plus fort. Être sensible, c'est aimer plus fort. Être sensible, c'est vivre plus fort. » L'expérience des uns et des autres le confirme...

16

ALLER AU-DELÀ DES APPARENCES

« Je me sentais bien près de ce garçon.
[...] Je compris que les choses extraordinaires
ne lui étaient pas étrangères.
Je me confiais à lui. »

A. Appelfeld

Nous avons tous besoin de pouvoir trouver en l'autre (en au moins un autre être humain) une oreille attentive : nous avons besoin de nous confier. Notre vie intérieure ne peut pas rester indéfiniment isolée, sans communication et sans partage. Nous existons par ce que nous confions à l'autre de nous-mêmes, par ce dont nous témoignons. Pourtant, la communication intime se heurte souvent à la difficulté qu'éprouve notre vis-à-vis humain pour recevoir ce que nous sommes, ce que nous ressentons. Il est tellement plus facile de parler d'idées que de ressentis !

Lors de disputes, les deux membres d'un couple réagissaient différemment. L'un avait besoin de pouvoir pleurer au moment de l'apaisement et de la réconciliation, ce que l'autre avait du mal à comprendre, voulant probablement que la bonne humeur, la légèreté et la joie reviennent au plus vite entre eux. Le second ne laissait pas assez de place à l'expression des sentiments. Il était très mal à l'aise avec les manifestations sensibles. La sensibilité d'un proche peut sembler « dérangeante », « de trop » ou « peu reposante ». Pourtant, elle est autant vitale aux uns qu'aux autres, à tel point que les personnes qui ont mis de côté leur sensibilité cherchent souvent à s'approcher de personnes dont la sensibilité est plus vive que la leur, c'est-à-dire plus vivante.

Pour la plus grande majorité des personnes que j'accompagne, le courage d'exprimer sa sensibilité singulière se dessine et se développe peu à peu, car il s'agit bien d'un grand courage, pour chacun. Leur capacité à dire précisément ce qu'ils ressentent leur permet aussi de s'affranchir de l'imprécision de leur parole et de penser finement, hors des à-peu-près, du convenu, du normal ou du conventionnel.

Il leur reste alors à comprendre ce qui les empêche parfois d'être fiers de leur sensibilité et de ne plus souffrir lorsqu'ils la trouvent excessive. À quelles croyances adhèrent-ils encore sur eux-mêmes ? Comment peuvent-ils se transformer ? Comme souvent, en se posant avec sincérité deux questions fondamentales, qui traduisent la fameuse interrogation « quelle est ma part dans ce qui m'arrive ? » : *Pourquoi je tiens à ce fonctionnement ? À quoi me sert-il ?* Pour y répondre honnêtement, il est nécessaire de renoncer à toutes les justifications qui nous servent habituellement de masques ou de paravents, et d'aller au-delà des apparences...

Changer de référentiel

De la même façon que nous pouvons être amenés à déménager dans un autre quartier, une autre ville, un autre pays, à changer d'emploi ou d'école (pour les plus jeunes), à vivre une nouvelle relation amicale ou amoureuse, l'évolution de notre existence nous pousse parfois aussi à changer de repères et de références. Tous ces événements, plus ou moins visibles, sont particulièrement fragilisants. Ils peuvent nous mettre à vif, en exacerbant notre sensibilité et en nous rendant plus émotifs. Nos anciennes balises vacillent puis s'effacent : face au vide, nous nous sentons perdus.

Depuis quelques mois, Nadia vit un grand amour avec un homme un peu plus jeune qu'elle, très différent d'elle et qui ne correspond pas du tout à l'idéal masculin qui lui servait de référence intérieure. Ils partagent beaucoup de bonheurs et de joies, mais déjà aussi des malentendus et des crises, douloureuses pour chacun d'entre eux, et qu'ils regrettent sincèrement. Nadia essaye de mettre en lumière ce qui lui arrive lors de ces moments difficiles. Elle aime son compagnon et souhaite construire avec lui une relation de confiance. « J'ai peur de lui parler : chaque fois que j'exprime ma sensibilité, il me dit que je le gave, que je le gonfle, que je lui prends la tête. »

Nadia repère qu'elle allait très bien, vraiment très bien, avant de rencontrer Fabien, son nouvel ami. Elle était dans une bonne dynamique de vie personnelle et de réussite professionnelle. Nadia est une femme sûre d'elle, équilibrée et bien dans sa peau. Pourtant, depuis quelques semaines, elle se sent extrêmement vulnérable, à cran, sur le qui-vive, étrangement tendue : « Je suis très tourmentée, je ne me reconnais plus, affirme-t-elle inquiète, j'ai l'impression de perdre ce qui me constitue fondamentalement, mon optimisme et mon enthousiasme. » Prenant le temps de la réflexion, elle constate qu'elle est, au contact de son homme, en train de changer de paradigme[1] existentiel.

« Avant de rencontrer Fabien, j'étais une grande romantique : sentimentale, fervente, passionnée, impliquée et engagée. Très souvent, quand je présente mes idées sur la relation amoureuse ou que j'emploie certains mots, Fabien fait la moue : il me dit de façon un peu sèche et définitive que ce n'est pas sa culture. Il affirme qu'il est libertaire. En fait, je suis en train de me rendre compte que sa justification appuyée de son adhésion convaincue à l'idéologie libertaire bouleverse tous mes repères. » Nadia est étonnée : « Pourtant, beaucoup de mes amis de jeunesse étaient libertaires, je connais donc bien cette idéologie depuis très longtemps ; mais là, ce n'est plus du discours, de la provocation ou de la simple rigolade, elle vient me toucher personnellement dans ma vie intime et bouleverser concrètement mes repères. »

Quelque temps plus tard, Nadia est submergée par les émotions enterrées en elle d'un ancien deuil, qu'elle n'a pas encore complètement accompli. Deux ans plus tôt, son précédent compagnon l'avait quittée très brutalement pour une autre femme rencontrée quelques jours auparavant. L'annonce de la rupture avait été des plus sommaires, sans appel et sans possibilité de discussion.

---

1. Un paradigme est un modèle, un exemple type qui sert de référence ; par extension, un système de valeurs.

« Lorsque Nicolas est parti, il s'est servi exactement des mêmes arguments que Fabien, avec les mêmes mots persuasifs et le même aplomb inflexible, pour justifier son départ précipité, alors que tout allait bien entre nous, y compris et surtout sexuellement... C'est vrai que Fabien ne ressemble pas à Nicolas, mais leurs propos libertaires sont les mêmes et cela me fait très peur. Ma grande angoisse est que toutes ces idées sur la libre jouissance et la liberté sexuelle puissent venir justifier un jour que Fabien me quitte lui aussi brutalement, sans raison valable, de façon inhumaine, comme Nicolas l'a fait, alors que je l'aimais profondément. J'en avais été malade plusieurs mois. »

Après la découverte de cette peur, Nadia se rend compte que Fabien est bien plus respectueux et attentif que son précédent compagnon. Elle prend le temps de faire le point sur elle-même.

« Je n'ai rien personnellement contre telle ou telle idéologie : je n'adhère à aucune religion et à aucune idéologie. J'ai même longtemps considéré que les idées libertaires étaient sympathiques, mais il se trouve que, personnellement, elles ont déjà été utilisées contre moi, me blessant au plus intime de mon être de femme amoureuse. »

Nadia s'apaise et retrouve le sourire. Franche et courageuse, elle est une femme honnête : elle aime la vérité ; elle aime vivre en vérité avec elle-même[1]. Elle continue à s'interroger avec sincérité.

---

1. La psychanalyste Maud Mannoni avait coutume de dire que « la psychanalyse interroge le rapport du sujet à la vérité ». Déjà Freud, puis Lacan l'affirmaient ; d'autres encore, comme Erich Fromm, etc.

« Pendant quelques jours, suite à ma dernière dispute avec Fabien qui parlait de ses expériences sexuelles passées et m'avait traitée de puritaine parce que j'avais discrètement exprimé un trouble et que je ne partageais pas ses idées, je me suis confrontée à moi-même. L'affirmation des principes libertaires me tourmente dans le sens où, si je me laisse convaincre, je peux considérer Fabien comme un individu qui met la jouissance (notamment sexuelle) au-dessus de tout et je me demande pourquoi, moi, je ne ferais pas la même chose : m'amuser avec qui bon me semble, comme cela me chante, quand je veux et sans égard réel pour l'autre (malgré le fameux consentement), sans investissement dans une vraie relation construite et durable, quitte à rester après en bons termes avec mes camarades de jeu. »

Nadia est très perturbée : pendant quelques nuits, elle est assaillie par des fantasmes sexuels débridés et sent le tréfonds de son être la brûler. La pression intérieure est devenue intolérable. Elle ne supporte plus rien ni personne, a des difficultés à travailler, n'arrive plus à manger et se met en colère pour des broutilles. Elle constate à quel point elle est bouleversée, confuse, désorientée, affaiblie et gravement fragilisée, *à un moment où son amour pour son compagnon est au plus fort*.

« Tout ce que je traverse intérieurement en ce moment n'est vraiment pas facile. Je suis devenue sensible à l'extrême. Cela me fait mieux comprendre le saccage de la réalité intime qu'opère, de fait, toute idéologie, quelle qu'elle soit[1].

---

1. L'intuition de Nadia est juste : par essence, une idéologie écrase (ou, parfois même, nie) l'espace personnel intime. Le propre d'une idéologie, d'une doctrine ou d'un dogme est de se constituer sur une

Je n'incrimine personne. Je ne reproche rien à Fabien. Je constate seulement ce qui se passe en moi et pour moi. Heureusement, j'ai confiance en lui[1] et en notre relation, c'est le plus important ! »

L'amour que Nadia porte à son homme lui permet, non pas d'adhérer à ses croyances, non pas de devenir ce qu'elle n'est pas et qui ne lui correspond pas, mais de lâcher toutes les idées arrêtées qu'elle avait sur le couple. Elle n'a plus besoin de mariage, d'anneau, de vie quotidienne commune pour vivre une belle relation amoureuse avec Fabien, pour être sûre de son engagement à son égard et de la fidélité qu'ils se sont librement promise, puisque c'est ainsi qu'ils souhaitent s'aimer.

Le passage d'un ancien référentiel, souvent impersonnel et hérité de l'enfance, à un référentiel personnel, dépouillé du superflu et de l'inutile, est une véritable épreuve existentielle, un parcours initiatique entre soi et soi-même, qui implique un moment de grande fragilité face aux autres. Certains rêves rapportés par des patients dans ces moments critiques sont significatifs, comme cette vision de Paulo en séance, sous forme d'image-sensation : « Je suis dans un *no man's land*, je ne vois

---

généralisation contraire à la spécificité de chaque sujet et empêchant la constitution intérieure, essentielle pour le devenir psychique de tout être humain, de ce que j'appelle un « espace de subjectivation ». Voir S. Tomasella, *Vers une psychanalyse de la marque et de ses expressions*, Université de Nice Sophia-Antipolis, 2002.
1. D'ailleurs, un peu après leur dispute, Fabien avait convenu que ses expériences sexuelles n'étaient pas si faramineuses qu'il avait bien voulu le défendre, et qu'il avait surtout essayé, à ce moment-là de son existence, de sortir d'une immense solitude... Souvent, le discours vient masquer une réalité subjective difficile à exprimer.

plus la rive que j'ai quittée, je ne vois pas encore la rive vers laquelle je vais. » Cette vision illustre précisément ce passage à vide entre deux référentiels (l'ancien perdu ; le nouveau pas encore trouvé et constitué).

Descendre du manège émotionnel

Comme l'indiquait Henri Bergson : *« C'est l'âme qui pense*[1]. » L'âme est seul guide intérieur... Il est essentiel de faire passer le discours de l'autre à travers le filtre de notre propre sensibilité et de notre discernement. Nous ne sommes pas obligés de croire ce que l'autre dit. Prendre le temps de la réflexion permet d'y voir plus clair en soi et à partir de soi, sans se laisser embarquer ou embrouiller, sans être dévoyé de son chemin singulier. René Descartes propose cette méthode du doute : n'apporter *a priori* ni crédit ni discrédit à la parole de l'autre, mais l'écouter, l'observer, l'interroger.

Suite à des événements familiaux et professionnels éprouvants, Yacine se sent « complètement paumé » et n'arrive même plus à réfléchir. « J'erre, dit-il, sans savoir où je vais ; j'ai perdu la saveur de la vie, je me sens désespéré. » Yacine prend conscience qu'il patauge dans une « popote égotique », c'est le nom qu'il donne à une sorte de manège émotionnel qui tourne autour de la même rengaine et qui le sort peu à peu de la réalité. Yacine reste fixé sur ses émotions, qui finissent par l'étouffer et l'écœurer au point de lui donner la nausée. La nuit, il n'arrive plus à dormir ; le jour, il ne parvient plus à travailler. Il se sent oppressé. Comment peut-il quitter le « frichti privé »,

---

1. H. Bergson, *L'âme et le corps*, PUF, 2011.

sa pataugeoire émotionnelle, cette sensiblerie qui lui colle à la peau comme de l'eau sucrée, pour retrouver la dynamique de son existence et de sa pensée ?

Il s'agit alors de recouvrer la *vision globale*, celle des sentiments en particulier et de la sensibilité en général. Dans le sentiment, la pensée est déjà là en germes. La vie de l'âme, ou vie intérieure, est complexe et multi-dimensionnelle : elle est constituée de mémoire, d'intuition, de sentiment, de pensée, de conscience et de désir. Lorsque nous sommes envahis par des émotions qui s'installent ou par des idées qui se figent, nous quittons la vision par l'âme : le monde devient borné, clos, fixe ; tout semble tourner en rond, comme un animal en cage. En revanche, quand reviennent le sentiment, la pensée et la vision globale, nous avons la sensation joyeuse que l'horizon s'ouvre de nouveau sur l'infini du ciel. Alors, la dynamique psychique et la fluidité des processus réapparaissent.

Nous nous laissons assourdir par le brouhaha émotionnel, parce que nous nous identifions à ce qui arrive au corps physique, corps d'organes, corps de douleurs et de jouissances, mais aussi *corps imaginaire*, corps social de notre appartenance au groupe. Comme le préconisait Lacan, nous avons intérêt à revenir aux questions fondamentales : « D'où parles-tu ? Que veux-tu ? Te leurres-tu en prétendant tout avoir, tout pouvoir, tout savoir ou acceptes-tu de n'être pas tout ? »

Bien entendu, cela demande une vigilance de tous les instants, rien n'est gagné d'avance, rien n'est acquis une fois pour toutes, mais cela ouvre un vaste champ de vraie liberté[1]. Il n'y a pas d'un côté les purs et de l'autre les impurs, les bons et les mauvais, etc. Cela nous aide au contraire à développer concrètement plus de clairvoyance, donc aussi plus de compassion et détachement.

Le corps vécu

À mesure que nous nous délestons peu à peu du corps matériel et, surtout, du « corps mirage[2] » (imaginaire et social), nous pouvons nous incarner, vivre dans notre corps réel et l'habiter : être à l'intérieur de soi, *âme en corps*. Notre existence a plus de saveur ; elle se décomplique aussi, se simplifie.

Nadia fait un rêve étrange après la mort de son grand-père. Il vient la visiter. Elle est en voiture avec sa mère qui conduit dangereusement et ne l'écoute pas lorsqu'elle lui dit de faire attention. Elles ont un accident très grave. Nadia passe dans un autre monde, une autre réalité. Une très vieille dame s'approche d'elle et lui parle : elle lui propose de trouver l'origine de ses souffrances et le sens de sa destinée. Nadia passe son chemin. Puis, elle entend une musique céleste et sort de son corps en s'élevant dans les airs. Elle se dit qu'il est trop tôt pour mourir. En associant librement à partir de son rêve[3], Nadia comprend que, jusqu'alors, elle s'est tout le temps sentie en sursis, entre la mort et la vie. Elle a connu une forme de mort subite du nourrisson dont elle a été sauvée de justesse par son père, puis elle a été répétitivement malade et a souffert de graves crises

---

1. La liberté est avant tout une liberté intérieure, liberté de désirer, de sentir et de penser.
2. À la fois corps de fantasmes et fantasmes de corps...
3. S. Tomasella, *L'inconscient, op. cit.*

d'asthme. Sa mère était une femme paradoxale, étouffante et très intrusive. Nadia comprend par ce rêve que – symboliquement – elle se laissait entraîner vers la mort par sa mère.

Après cette révélation cruciale, Nadia change de position face à ses parents, décide de ne plus les laisser choisir à sa place et devient de plus en plus agissante dans son existence. Après une rupture sentimentale douloureuse[1], qu'elle s'est ingénié à ne pas voir venir, elle comprend que « aller bien » n'est pas tellement une capacité (qu'elle aurait ou n'aurait pas) mais un choix.

« Je m'infligeais une punition en travaillant plus que de raison. Je me réfugiais encore dans le travail le soir chez moi après la journée au bureau. En fait, je respectais le mot d'ordre de ma mère : ne pas perdre son temps ! Sinon, je me sentais très coupable. » En négligeant de vivre son existence à elle par de vrais choix personnels, Nadia s'était enfermée elle-même dans un réseau d'obligations qui la rendaient irritable et très à vif. Elle dit un jour à son psychanalyste : « Il y a bien longtemps, vous m'aviez invitée à m'arrêter de temps en temps sous un arbre et à écouter le bruissement des feuilles. Je n'ai pas immédiatement compris ce que cela impliquait, or c'est devenu plus tard une évidence au quotidien. De temps en temps, je vais me promener et je m'assois contre un arbre : à nouveau je perçois ce titillement. La caresse du vent dans les arbres traverse délicieusement mon corps. »

Nadia décide enfin de s'accorder du temps pour elle, du temps de détente et d'ouverture vers l'extérieur, y

---

1. Il s'agit du départ brutal de Nicolas (voir page 189).

compris concrètement vers les alentours de sa maison. « Maintenant, le plaisir me guide. Cela m'aide à mieux savoir pourquoi je suis là. » Retrouver le flux vital aide à se relier à la vie qui nous entoure. Cela permet aussi de relativiser ce qui nous arrive sans en faire une montagne...

17

RETROUVER PERSPECTIVE ET PROFONDEUR

« Les tristesses sont des aubes nouvelles
où l'inconscient nous visite. »

R. M. Rilke

S'ouvrir à l'invisible, au vaste continent de l'inconscient, déployer les grandes ailes de l'âme : les poètes ont bien raison de nous le rappeler et de nous y exhorter ! Cela permet notamment de passer d'une forme d'intelligence rationnelle de type « binaire » à une forme d'intelligence sensible, globale et en arborescence. En effet, *connaître* est plus intime, plus profond, plus sensible que seulement savoir : connaître implique une naissance, une découverte, une transformation de soi. Se connaître soi-même aide progressivement à ne plus avoir besoin de se protéger du monde qui nous entoure, mais à libérer en soi le désir et l'élan, donc l'énergie vitale, pour découvrir le monde tel un explorateur !

Souhaiter et favoriser la rencontre

Nous avons vu que nombre de personnes très sensibles accordent énormément d'importance au regard des autres : elles cherchent à les contenter ou à les satis-faire, au risque de s'oublier. Là encore, un passage est nécessaire d'un modèle ancien (et fortement ancré) fondé sur des attentes souvent déçues, parce qu'impérieuses et liées à l'autre (à son humeur, son bon vouloir), à une nouvelle disposition intérieure et relationnelle : pouvoir attendre sans être déçu, c'est-à-dire espérer avec distance et légèreté, souhaiter, favoriser, mais ne pas s'accrocher au résultat, qui ne nous appartient pas et sur lequel nous n'avons aucune prise. Nous ne pouvons pas contrôler l'autre ! En revanche, nous pouvons désirer le connaître, le rencontrer et créer un lien avec lui.

Pleine de finesse et de délicatesse, Lizzy aurait pu écrire la belle phrase de Rilke en épigraphe de ce chapitre. Elle a maintenant une conception personnelle plus claire de sa sensibilité : « Pour moi, la sensibilité serait comparable à une marche à la rencontre de l'autre, elle est nécessaire à tout échange, à toute communication. Parfois elle devient un handicap car elle expose aux souffrances, elle nous met à nu.

La sensibilité se joue au quotidien, et l'humeur, les paroles de ceux que j'aime ou simplement de ceux que je côtoie, leurs actes, leurs attentions, leurs demandes laissent des traces qui colorent ma journée en gris ou en rose, qui l'illuminent ou l'empoisonnent. Cette sensibilité permet de m'identifier aux personnes que je rencontre, brièvement ou pas, elle me permet de savoir très profondément que le rapport à l'autre est un acte d'amour, elle me relie aux autres, en anglais on dit *"to relate"*, *"I can relate to that"*. Lorsque ce lien est impossible, il arrive que la tristesse émerge. Je crois que la sensibilité de chacun est une sorte de langage qui nous projette dans les recoins secrets de la psyché de l'autre et de son cœur. Elle permet d'escalader des montagnes parce que c'est elle qui donne naissance à l'empathie et qu'elle est un don du ciel. »

Lizzy n'en est pas arrivée par hasard à cette qualité de réflexion sur la relation à l'autre : elle est le fruit d'un parcours personnel long, fait de recherches intimes et profondes. Son regard sur la nature, sur les autres et sur elle-même s'est peu à peu façonné au cours de son évolution humaine. Proche des artistes, des enfants, des jeunes et des personnes âgées, elle a développé une grande capacité d'écoute. Elle pratique également le yoga depuis de longues années et s'intéresse à la méditation. La pratique de la *méditation* (faire silence en soi), quelle que soit sa forme, aide à suspendre la mentalisation (souvent incessante) qui peuple notre conscience d'une multitude d'idées, dont beaucoup sont inutiles. Elle permet de laisser nos préoccupations habituelles, parfois lancinantes. Elle favorise une dynamique de *lâcher-prise* : renoncer à attendre (vouloir avoir), à juger, à obtenir (un résultat), à garder, mais aussi à rejeter ou empêcher (un désagrément, un malaise, une gêne). Au bout d'un certain temps de pratique, au-delà de l'apaisement physique et psychique réel qu'elle apporte, elle facilite un changement de *posture intérieure*. Au lieu de vouloir et d'attendre (attitudes d'attachement), nous devenons capables de souhaiter, préférer et favoriser, qui sont des dispositions d'ouverture et de détachement. Nous pouvons nous situer plus justement : par exemple, plus dans la dimension d'être, exister et vivre, plutôt que seulement dans celle d'avoir et de faire. Enfin, les activités courantes ayant tendance à nous disperser et à nous éparpiller (ce qui provoque de nombreuses angoisses et déprimes), prendre régulièrement le temps de méditer aide à se retrouver, à se rassembler et à devenir réellement présent (à l'instant, donc à soi-même et à l'autre).

Être humain, donc sensible

Devenir humain n'est ni évident ni facile. D'autant que certaines histoires familiales et personnelles contre-carrent ou dévient ce projet. Notamment quand l'enfant a dû faire face aux forces (intentions et actions) déshumanisées ou déshumanisantes de ses proches et de ses référents. Ce cas de figure se retrouve très fréquemment en amont des dérives de l'addiction. J'ai remarqué avec mes patients que les réflexes de l'addiction sont anciens, ils se sont construits très tôt (comme substituts de leur sensibilité dévoyée ou niée), mais ils ne sont pas les plus anciens. Avant l'addiction, il y avait le vide humain, l'absence de lien, le fait de vivre sans relation, sans amour et sans respect. Mes patients ont pu observer que, avant la rupture des digues, ce retour brutal des fantasmes qui relancent la dynamique pulsionnelle de l'addiction, ils vivent de nouveau une plongée dans le néant de ce qu'ils sont nombreux à appeler spontanément « l'enfer ». Ils désignent par ce mot le lieu psychique, à la fois mortifère et brûlant, de la suractivation fantasmatique et pulsionnelle causée par l'absence complète de relations humaines (de liens subtils). Ils font de nouveau l'expérience de cette « chute » (sensation-image de l'effondrement) après avoir été niés en tant qu'humains et individus spécifiques, au travail, en famille, ou dans leurs loisirs.

Peu à peu, ils découvrent que le recours à l'addiction, quelle qu'elle soit, leur semble la seule issue, alors qu'au contraire elle renforce leur sentiment d'indignité, la croyance dans leur nullité et le désespoir d'être aussi vils, inutiles, illégitimes et inhumains...

Lors d'une série de séances particulièrement éprouvantes, Marc a ressenti à quel point, depuis qu'il est tout petit, il était désespéré par la posture hostile de ses parents à son égard depuis sa conception et sa naissance : ils ne l'ont en fait jamais accueilli ; pour eux, il n'a jamais été le bienvenu. Le choix de l'addiction sexuelle, comme solution de rechange et de secours, n'est venu que bien plus tard, après une rupture amoureuse très violente avec une jeune femme qu'il aimait passionnément et qui l'a quitté pour son meilleur ami. Depuis peu, chaque fois que la malédiction se présente à lui (« je ne suis pas digne de vivre et d'être sur cette terre »), Marc essaie de la remplacer intérieurement par une bénédiction (dire du bien de lui à partir de ses qualités réelles), par exemple : « Je suis un homme généreux, j'aime la vie, je suis heureux d'être sur cette terre, j'aime ma femme et mes enfants »... Ou toute autre phrase valorisante pour lui.

Pour sortir des automatismes, qui sont des réflexes conditionnés, souvent inconscients ou mal justifiés par des rationalisations, il peut être nécessaire, une fois qu'ils sont devenus conscients et dans un premier temps, de lutter contre eux pied à pied, pour défaire la puissance de leur emprise.

Toutes les personnes qui se dégagent et se libèrent peu à peu de leurs dépendances retrouvent avec soulagement et joie les pleines capacités de leur grande sensibilité, enfin acceptée et valorisée.

Marc explicite cette métamorphose. « Avant, oui, j'avais l'impression que ma sensibilité était très forte, insurmontable. Je me jugeais comme n'étant pas capable, donc pas un homme. Maintenant, je crois qu'il n'y a pas de sensibilité très forte, j'essaie de me regarder comme je suis, tout simplement. La sensibilité forte n'est peut-être qu'un niveau qu'on nous inculque. Être humain, c'est avant tout être sensible. Cette très forte sensibilité peut aussi arriver dans des moments qui sont bons, tout simplement sur une pensée qui est bonne. Hier soir, lorsque je me suis couché, j'avais l'impression d'être plus léger. J'ai d'ailleurs beaucoup mieux dormi. Je me centre sur mes ressentis, mais ce n'est pas facile avec la vie de tous les jours qui reprend encore trop souvent le dessus. »

Chaque parcours est singulier. Il ne sert à rien de se comparer aux autres en général, à quelqu'un, ou à tel idéal (social, familial, etc.). Par exemple, plutôt que de rester isolé en n'acceptant que des amis parfaits (qui n'existent pas), nous pouvons vivre des moments imparfaits avec des amis imparfaits. Nous pouvons avoir des amis très imparfaits, mais des amis tout de même...

Ce pas en avant n'est pas facile à accomplir. D'autant que nous sommes souvent poussés ou enclins à confondre les pulsions et les fantasmes avec le désir.

Pourtant, ce n'est qu'en retrouvant, en soi, la petite musique du désir frémissant que nous pourrons durablement vivre l'amitié ou l'amour, en acceptant vraiment d'aimer et d'être aimé.

Le désir ne naît pas que du manque, il naît du contact avec la lumière de l'autre et son attente. Attendre de retrouver cette lumière lorsqu'elle n'est plus là, pas encore de nouveau là. Le désir grandit dans l'absence de l'autre, quand sa lumière nous fait défaut et qu'elle creuse en soi un espace intérieur, intime, de plus en plus vaste pour le recevoir et l'accueillir à nouveau, pour lui souhaiter la bienvenue. Le désir est ainsi la présence grandissante en soi de l'autre, du chemin vers lui, l'élan tour à tour inquiet et joyeux qui met en mouvement vers lui, pour mieux le connaître...

18

HABITER UN LIEU HUMAIN

« Je vais te serrer dans mes bras.
Ce sera ma bénédiction. »

A. Appelfeld

Le mot « Ethos », en grec, désigne « le lieu où l'être humain habite ». Loin de toutes les formes de morales, qui dépendent des époques, des cultures et des croyances sociales, l'*éthique humaine* est valable pour toute personne quels que soient son âge, son ethnie, sa sexuation, etc. Ce lieu humain, espace où peut se déployer l'éthique singulière de la situation relationnelle vécue, est le lieu de la connaissance et de l'amour, donc le lieu même de la sensibilité. À ce titre, il ne peut pas y avoir « trop » de sensibilité, de même qu'il ne saurait y avoir trop de connaissance ou trop d'amour !

Le lieu humain où chaque être désire habiter et où chaque âme souhaite s'incarner est un espace symbolique propice à la relation.

Il se décline selon :

- *Sept dimensions essentielles* : l'espace, le temps, la lumière, la présence, le sentiment, la pensée, la parole.
- *Cinq fonctions et actions fondamentales* : être, vivre, exister, se relier, partager.

• *Trois dynamiques principales* : la perception, l'intuition, l'imagination.

Nous avons abordé pas à pas chacune de ces réalités subtiles tout au long de cette réflexion sur la sensibilité. Elles s'articulent entre elles dans chacune des expériences que nous vivons et concourent à l'édification de l'intelligence sensible, globale, en arborescence, qui accompagne la fluidité des processus. Comprendre à quel point l'amour et la connaissance orientent notre existence vers notre devenir humain, grâce à toutes les capacités innombrables de notre sensibilité singulière, redonne à celle-ci la place centrale qui est la sienne dans l'accomplissement de tout individu.

Au centre de l'être

Les idées fausses ou incomplètes sur le monde, la vie, l'être humain foisonnent. Certaines ne portent pas à conséquence, mais d'autres sont plus nocives dans la mesure où elles nous éloignent de notre sensibilité et des informations justes qu'elle peut nous apporter sur les réalités que nous vivons[1].

Ainsi, par exemple, ce n'est pas tant la reconnaissance que nous cherchons, mais la validation de nos expériences. Le dialogue avec une personne sensible permet de confirmer que nos perceptions sont justes, que notre intuition est fiable et que notre imagination est féconde.

---

1. C'est, notamment, ce que j'appelle « l'éloignement de soi » : lire S. Tomasella, *Oser s'aimer*, Eyrolles, 2008.

Aller bien correspond avant tout à être en accord avec soi-même et avec sa sensibilité. « Je suis chez moi en moi : je ne veux plus devoir aller à l'intérieur de l'autre pour le comprendre », affirme une patiente. Trop fréquemment, nous sommes hors de nous-mêmes au lieu de trouver notre place en nous-mêmes. De nombreux phénomènes nous décentrent, nous fragilisent, nous mettent « à vif » ou « à fleur de peau », parce qu'ils malmènent notre sensibilité. Encore une fois, nous ne sommes pas trop sensibles, ce malaise indique seulement que nous ne sommes pas assez à l'écoute de nous-mêmes et dans le respect de notre être, de notre vie intérieure, de notre désir, etc.

Betty en témoigne avec beaucoup de sincérité. « En tant que femme, le fait de vieillir et de devenir moins attirante est difficile. Certaines fois, on se sent ignorée ou invisible ! Notre société privilégie les qualités physiques. Le processus de vieillissement met en évidence l'importance vitale que revêt le fait de nourrir une personnalité et une vie spirituelle. Au travers de nombreuses expériences, j'ai appris à comprendre pas mal de situations et j'ai réussi à briser certaines conduites négatives. J'ai été aidée par la lecture de certains livres, par deux thérapies, par mon travail et par le fait de vivre une bonne relation. Mon mari est une personne très positive et, parfois, il me fait réaliser que je prends la vie trop au sérieux. Il m'aime essentiellement pour ce que je suis et non pour mon apparence. Le chemin se poursuit et j'apprends graduellement à changer ma façon d'envisager la vie ; si je réagis trop vivement dans une certaine situation, j'essaie de le reconnaître, et de tempérer mes sentiments. Cela ne marche pas toujours, mais j'ai conscience de changements subtils. »

Pour Betty, la sensibilité est une qualité essentielle dans la relation aux autres et dans son travail d'artiste. Elle permet une ouverture et une vulnérabilité qui sont complètement nécessaires pour créer, mais aussi pour avoir une vraie relation avec ses proches.

« En tant que peintre, je dois rechercher et explorer mon monde intérieur et extérieur, c'est la manière de créer et de s'exprimer. J'ai réalisé récemment qu'en autorisant les émotions négatives (peur, culpabilité) à me submerger, je supprime la joie et la liberté de ma vie. Mon désir de vivre sans réserve et de manière authentique est fort : cela nécessite des efforts et de la réflexion au quotidien. Je continue à apprendre à ne pas trop donner d'importance à l'opinion des autres sur ma personne et mon travail, et à être honnête et transparente dans ma façon de vivre. J'apprends à être plus ouverte et plus vulnérable dans mes relations tout en étant moi-même. Il est si important de partager et de parler avec de bons amis. »

Après de nombreuses années d'expériences et de recherches, les personnes comme Betty parviennent à trouver un bon équilibre pour elles et à développer une forme de sagesse qui allie sensibilité, réflexion et création...

Créer et exprimer

À partir du moment où nous ne cherchons plus à tout contrôler mentalement ou inversement à nous laisser envahir par les débordements émotionnels, nous pouvons être et vivre dans le réel. Il est alors possible d'oser dire qui nous sommes : ce que nous sentons, imaginons et pensons. Aussi n'est-ce pas un hasard de constater que plus notre sensibilité est développée, plus nous sommes vivants.

Marie-Josèphe Jude le confirme.

« Il m'a fallu de nombreuses années pour apprendre à exprimer dès que je le ressentais les différentes choses qui peuvent miner une relation (petite rancœur, incompréhension, différence d'éducation...). Je trouve que c'est une grande chance de ressentir des émotions fortes. J'ai l'impression que l'événement de la mort de mon père m'avait anesthésiée à l'époque, je ne pouvais être très triste, mais pas non plus très heureuse ! Je crois que cela va évidemment de pair : pour laisser la place aux grandes joies, il est nécessaire d'accepter que parfois cela soit aussi de grandes tristesses... Les chinois parlent de yin et de yang. Il est impossible de choisir entre les émotions négatives et les positives, elles sont indissolublement liées ! »

Acceptée, cultivée et valorisée, la sensibilité nous rend de grands services dans tous les domaines de notre existence, des activités les plus quotidiennes aux plus exceptionnelles.

« Dans mon métier d'artiste, la sensibilité est fondamentale : je ressens à travers le langage des notes l'émotion, le "message" du compositeur, je me mets à sa place pour traduire ce qu'il a voulu dire. La grande difficulté est de trouver la bonne distance entre l'interprétation et le fait que je joue en apportant forcément une part de moi, que cela peut interférer dans la partition et l'objectivité de sa lecture (si tant est que l'on puisse être objectif !). Je vois plus facilement sur mes étudiants la force incroyable que la sensibilité donne ; j'imagine que c'est à peu près comme la chance de voir, comparée au handicap des

non-voyants qui ne peuvent qu'imaginer le monde... Je ne pense pas que cela soit une fragilité, bien au contraire. La force, pour moi, vient de cet échange que l'on peut avoir avec l'autre, avec le monde, et cet échange n'est possible qu'avec une sensibilité partagée. Sans cela, on est "spectateur" des événements, on a peut-être moins de peines mais tellement moins de joies !!»

Nous sommes maintenant avertis et prévenus : ne laissons surtout pas notre sensibilité en jachère, cultivons-la et exprimons-la pour partager l'ensemble de nos expériences humaines. Comment ? En créant ! En étant continûment dans une démarche créative, au travail comme dans toutes nos relations. « *Le pire danger, c'est la routine* », affirme le chef d'orchestre François-Xavier Roth[1], qui préconise de ne se laisser formater par rien ni personne, mais d'opter chaque fois pour une démarche personnelle en cultivant une « curiosité infinie ». Pour lui, l'art développe l'acuité du regard et magnifie notre sensibilité : « *La création est le plus beau de l'être humain.* »

Allons de l'avant et laissons derrière nous tous nos préjugés et toutes nos limitations. Dans le langage consacré aux fonctionnements du réseau internet, un « hyperlien » est désormais désigné comme un « lien ». De même, un jour, il ne sera plus nécessaire de parler d'hypersensibilité, elle sera reconnue comme une forme de sensibilité à part entière, particulièrement fine, aiguë ou intense, mais sans qualificatif particulier et sans jugement de valeur. Espérons que ce jour vienne au plus tôt !

Être sensible ? Oui, mille fois oui, pour vivre en abondance et nous laisser submerger par la vie...

---

1. « La Matinale », France musique, 5 janvier 2012.

Conclusion

« J'ai tendu des cordes de clocher à clocher,
des guirlandes de fenêtre à fenêtre,
des chaînes d'or d'étoile à étoile, et je danse. »

A. Rimbaud

Il ne s'agit plus de couper et de rejeter, mais de relier et d'articuler, de créer passages et passerelles. Au cours de notre voyage au pays des personnes très sensibles, nous avons pu constater chaque fois à quel point la sensibilité est bonne, positive, valable : à quel point elle est humaine ! Les difficultés surgissent dès qu'une forme d'*amplification* vient compliquer la situation personnelle et relationnelle. Les amplifications sont des phénomènes psychiques de résonance sensorielle, émotionnelle ou sentimentale, dont les origines sont très diverses. Un « trop-plein » entre en jeu dans les fins mouvements de la psyché humaine et dérègle son agencement subtil, perturbe son équilibre précaire. Nous sommes poussés, presque malgré nous, à réagir immédiatement, de façon impulsive, plutôt qu'à prendre le temps de répondre : sentir, pour comprendre, puis pour parler ou agir. Nous sommes exagérément *affectés*, débordés par nos affects. La réaction émotionnelle qui nous submerge est disproportionnée par rapport à la réalité actuelle : l'événement est amplifié, notamment par la caisse de résonance des traumatismes, ou des « mauvais souvenirs » (la mémoire de nos expériences douloureuses).

Nous sommes tous concernés par ces réalités. Aussi, les termes « hypersensible » et « hypersensibilité » reviennent-ils de plus en plus souvent dans les conversations quotidiennes, les confidences intimes et les témoignages personnels sur les forums. Loin de correspondre à une mode, il s'agit en fait d'un véritable phénomène de société : le signal faible, légèrement apparent, d'une mutation profonde. Apprenons à l'observer, sans aucun *a priori*, avec un regard neuf, sans porter de jugement, sans théoriser, sans le ravaler à du connu ou du déjà dépassé...

L'hypersensibilité n'est pas une maladie, loin de là : elle est une chance, un don, une opportunité. Il ne peut en aucun cas s'agir d'une étiquette de plus. Elle n'entre et ne saurait entrer dans aucune catégorie psychopathologique, d'hier, d'aujourd'hui ou de demain. Elle correspond à l'être humain éveillé, évolué, libre et réceptif, vivant de plain-pied la vie et les relations avec autrui. Il est grand temps de s'émerveiller et de ré-enchanter le monde. Alors, place aux hypersensibles !

Comme beaucoup d'autres, Marc exprime sa fierté et son désir d'être sensible : « Je crois que j'aimerais être encore plus sensible que ce que je suis. Le mot "hypersensible" me semble aussi correspondre à quelqu'un qui cherche à découvrir et à apprivoiser sa sensibilité. Cela a été mon cas pendant longtemps. Aujourd'hui, je déguste ma sensibilité en la vivant seconde après seconde. Redécouvrir sa sensibilité a quelque chose d'exceptionnel, cela permet l'amour, donc la vie, donc le lien. C'est vraiment essentiel. Pourtant, j'ai eu longtemps l'impression qu'elle était un défaut qu'il fallait faire disparaître. Maintenant, pour moi, au contraire, elle est vitale. »

Sensibles, « trop sensibles » ou « hypersensibles » ? Peu importent les termes employés : dans tous les cas, il s'agit de personnes qui vivent à partir de leurs ressentis et qui essaient de les exprimer.

Chaque individu est invité à évoluer et à devenir plus humain, donc plus sensible. Nous pouvons développer notre sensibilité, et notre confiance, jour après jour. Ne nous compliquons plus tant l'existence, ne cherchons plus tellement à changer la vie, vivons-la plutôt : soyons *dans la vie !*

BIBLIOGRAPHIE

Andreas-Salomé Lou, *Lettre ouverte à Freud*, Seuil, 1983.

Anouilh Jean, *Antigone*, La Table ronde, 1946.

Anzieu Didier, *Le moi-peau*, Dunod, 1995.

Appelfeld Aharon, *Le garçon qui voulait dormir*, L'Olivier, 2011.

Arendt Hannah, Heidegger Martin, *Lettres et autres documents 1925-1975*, Gallimard, 2001.

Atlan Monique, Droit Roger-Pol, *Humain*, Flammarion, 2012.

Aulagnier Piera, *La violence de l'interprétation*, PUF, 1975.

Balint Michael, *Le défaut fondamental*, Payot, 1991.

Balmary Marie, *L'homme aux statues*, Grasset, 1997.

Bellet Maurice, *Le lieu perdu*, Desclée de Brouwer, 1996.

Bergson Henri, *L'âme et le corps*, PUF, 2011.

Bion Wilfred R. , *Aux sources de l'expérience*, PUF, 1999.

Botet Pradeilles Georges, *Pourquoi encore la psychanalyse ?*, Dédicaces, 2012.

Carrère Emmanuel, *Limonov*, P.O.L, 2011.

Delaunay Pierre, *Les quatre transferts*, FAP, 2011.

Dolto Françoise, *Tout est langage*, Gallimard, 1994.

Duras Marguerite, *Le ravissement de Lol V. Stein*, Folio, 2010.

Eribon Didier, *Retour à Reims*, Flammarion, 2010.

Ferenczi Sándor, *Journal clinique*, Payot, 1990.

Foucault Michel, *Maladie mentale et psychologie*, PUF, 1954.

FREUD Sigmund, *L'inquiétante étrangeté et autres essais*, Gallimard, 1985.

—, *La question de l'analyse profane*, Gallimard, 1985.

—, *Le malaise dans la culture*, PUF, 1998.

—, *Le délire et les rêves dans la Gradiva de Jensen*, PUF, 2010.

—, *Deuil et mélancolie*, Payot, 2011.

GOETHE Johann Wolfgang, *Poésie et vérité, Souvenirs de ma vie*, Aubier, 1992.

HARDY Christine, SCHIFRINE Laurence, TOMASELLA Saverio, *Habiter son corps – La méthode Alexander*, Eyrolles, 2006.

HUGO Victor, *Ruy Blas*, J'ai lu, 2005.

ISRAËL Lucien, *Boiter n'est pas pécher*, Érès, 2010.

JUNG Carl Gustav, *L'homme à la découverte de son âme*, Albin Michel, 1987.

KIERKEGAARD Søren, *Un point de vue explicatif de mon œuvre*, Œuvres complètes, volume 16, L'Orante, 1971.

KLEIN Mélanie, *Envie et gratitude et autres essais*, Gallimard, 1978.

KRISTEVA Julia, *Le temps sensible*, Gallimard, 2000.

LAUTRÉAMONT, *Les chants de Maldoror*, Le Livre de Poche, 2001.

McDOUGALL Joyce, *Plaidoyer pour une certaine anormalité*, Gallimard, 1978.

MANNONI Maud, *Ce qui manque à la vérité pour être dite*, Denoël, 1988.

MANNONI Octave, *Un si vif étonnement*, Seuil, 1988.

MAUPASSANT Guy de, *Pierre et Jean*, Larousse, 2008.

MÉTRAUX Jean-Claude, *La migration comme métaphore*, La Dispute, 2011.

—, *Deuils collectifs et création sociale*, La Dispute, 2004.

MILLER Alice, *L'enfant sous terreur*, Aubier, 1986.

MILNER Marion, *La folie refoulée des gens normaux*, Érès, 2008.

NACHIN Claude, *À l'écoute des fantômes*, Fabert, 2010.

—, « Nous sommes tous des états-limites », *Éthique du sujet*, CERP, 2010.

—, *Le deuil d'amour*, L'Harmattan, 1998.

NEUBURGER Robert, *Exister, le plus intime et fragile des sentiments*, Payot, 2012.

ORTESE Anna Maria, *Là où le temps est un autre*, Actes Sud, 1997.

PONTALIS Jean-Bertrand, *Fenêtres*, Gallimard, 2000.

PROUST Marcel, *Du côté du chez Swann*, Folio, 1980.

RAND Nicholas, Maria TOROK, *Questions à Freud*, Les belles lettres, 1995.

REDON Odilon, *À soi-même : journal*, Corti, 1989.

RÉFABERT Philippe, SYLWAN Barbro, *Freud, Fliess, Ferenczi*

—, *Des fantômes qui hantent la psychanalyse*, Hermann, 2010.

RILKE Rainer-Maria, *Lettres à un jeune poète*, Grasset, 2002.

RIMBAUD Arthur, *Illuminations*, Gallimard, 1999.

SAVITZKAYA Eugène, *Marin mon cœur*, Minuit, 1992.

SEARLES Harold, *Mon expérience des états-limites*, Gallimard, 1994.

SENK Pascale, « La force des hypersensibles », *Le Figaro*, 18 avril 2010.

SHAKESPEARE William, *Hamlet*, J'ai lu, 2004.

STRAUSS Alexandra, REDON Odilon, *Les attaches invisibles*, Télémaque, 2011.

TISSERON Serge, *Y a-t-il un pilote dans l'image ?*, Aubier, 1998.

—, *Vérités et mensonges de nos émotions*, Albin Michel, 2005.

—, *Ces désirs qui nous font honte*, Fabert, 2010.

T<small>OMASELLA</small> Saverio,*Vers une psychanalyse de la marque et de ses expressions*, Université de Nice Sophia-Antipolis, 2002.

—, *Oser s'aimer*, Eyrolles, 2008.

—, *Le surmoi – Il faut, je dois*, Eyrolles, 2009.

—, *Le sentiment d'abandon*, Eyrolles, 2010.

—, *La perversion – Renverser le monde*, Eyrolles, 2010.

—, *La traversée des tempêtes – Renaître après un traumatisme*, Eyrolles, 2011.

—, *L'inconscient*, Eyrolles, 2011.

—, *Le transfert*, Eyrolles, 2012.

T<small>OROK</small> Maria, *Une vie avec la psychanalyse*, Aubier, 2002.

V<small>ERLAINE</small> Paul, *Romances sans paroles III, Œuvres poétiques complètes*, Robert Laffont, 2010.

W<small>INNICOTT</small> Donald W., *La nature humaine*, Gallimard, 1990.

—, *De la pédiatrie à la psychanalyse*, Payot, 1992.

—, *La crainte de l'effondrement*, Gallimard, 2000.

W<small>OOLF</small> Virginia, *Journal intégral : 1915-1941*, Stock, 2008.

INDEX

Aurélien

~ aux aguets, se sent oppressé,
est insomniaque, irritable 79
~ autocritique, vulnérable 80
~ ne parvient pas à vivre vraiment,
a vécu dans la peur du rejet, s'est interdit
l'erreur, s'est identifié à une tante décédée
d'un cancer 128
~ peine à accueillir sa souffrance 179
~ prend conscience qu'aller mieux passe
par sa revalorisation 180

Betty

~ empathie 29, 30
~ se rejouit de ce que la sensibilité apporte
à son travail d'artiste 206

Camille

~ vœu d'authenticité 33, 35
~ trouve l'équilibre entre rationnalisation
et émotion 161

Chloé

~ a tout le temps peur de vomir 169
~ est prisonnière de ses angoisses 170

Djamel

~ cache sa sensibilité 55
~ a emprunté la gravité et la tristesse de sa mère 122, 123
~ exprime sa sensibilité, se rend compte
qu'elle est appréciable 160
~ accepte mieux la douleur du sentiment de rejet 177
~ se sent en accord avec sa sensibilité,
ses perceptions 177

Elsa

~ en proie au doute 46
~ sensible aux approbations et désapprobations 47
~ est marquée par la maltraitance, de ses parents
  puis de son mari 109
~ décide de masquer sa sensibilité
  dans certains contextes, accueille globalement
  sa sensibilité et la revendique 183

Éric

~ peur d'être trahi, trompé, abandonné 67
~ dépassé par les émotions d'autrui 69
~ s'est senti abandonné, a manqué de reconnaissance,
  de gratitude. 98
~ utilise sa sensibilité dans son travail 173

Lizzy

~ désenchantée 40, 42
~ souffre d'insomnies, fait tout pour les autres,
  aurait aimé être protégée enfant 103
~ ne se dénigre plus, accueille sa sensibilité 159
~ s'émerveille de sa sensibilité et de ce qu'elle
  lui apporte dans ses relations humaines 198

Marc

~ excessif 43
~ ému aux larmes 44
~ envieux, rêve d'obtenir l'amour dont il a manqué.... 146
~ sort de ses conditionnements, apprend à se servir
  de sa sensibilité de façon positive 201
~ se dit fier d'être si sensible 210

Milena

~ sur le qui-vive, épuisée 58
~ un rien la blesse, elle se braque 96
~ a été marquée par l'exil,
  et par la violence de son cousin 131, 132

Nadia

~ timide 52

~ n'ose pas s'exprimer 54
~ a souffert de l'idéologie hippie,
   est bloquée dans sa sexualité.................................... 143
~ vit mal sa nouvelle relation amoureuse,
   craint de confondre son compagnon
   avec son ex-compagnon 188
~ comprend qu'elle change de référentiel,
   qu'elle a tout simplement peur de l'inconnu 191
~ comprend le rôle que sa mère a joué
   dans son autosabotage.. 194
~ choisit de se laisser guider par le plaisir,
   prend du temps pour elle, prend soin d'elle 195

Paulo

~ se protège de l'angoisse.. 62
~ a des souvenirs précis, présents 63
~ a peur de manquer de respect aux autres,
   se souvient que sa mère le confondait
   avec son frère.. 116
~ a manqué d'amour, se sent indifférencié d'autrui 118
~ comme Elsa, décide de masquer sa sensibilité
   dans certains contextes, tout en l'accueillant
   de lui à lui-même 183

Sonia

~ cache de très grandes fragilités 76
~ change rapidement d'humeur...................................... 77
~ se sent surveillée 78

Yacine

~ imagine être malade.. 74
~ s'est construit dans le sacrifice 75
~ a été un rouage dans le travail, dans sa famille 138
~ se vit comme extérieur à lui-même............................. 141
~ se sent perdu dans ses émotions 192

Yaël

~ ne supporte pas l'injustice 93
~ accumulation des émotions... 94

TABLE

Avant-propos 9
Introduction 13

Première partie
Les mille et une facettes
de l'hypersensibilité

1. La sensibilité :
ce qu'elle est, ce qu'elle n'est pas 19
   Au-delà des préjugés, une réalité complexe .. 19
   Qu'est-ce que la sensibilité ? 20

2. Impressions et expressions 25
   Décalés, incompris 26
   Empathiques à l'extrême 29
   Effrayés par le conflit, blessés par la critique... 30
   En quête d'authenticité 33

3. Vivre à fleur de peau et être à vif 37
   Désenchantés 39
   Émus aux larmes 42
   En proie au doute 46

4. Sous le regard des autres 51
   Handicapés par la timidité............................. 52
   À l'abri des regards....................................... 55
   Une confiance fragile 58

5. Sourdes angoisses et crises de panique 61
   Angoissés et révoltés 61
   Inquiets, sans cesse...................................... 65

La crainte de l'abandon 67

6. **La fascination pour le pire** 73
Bilieux et ombrageux 74
La peur de devenir fou 76
Sans cesse aux aguets 79
Vulnérables et autocritiques 80

Deuxième partie

Les nombreuses sources de l'hypersensibilité

7. **Se garder des préjugés** 87

8. **Entre révolte, saturation
et incompréhension** 91
Révolté contre l'injustice : l'enfant transparent.... 92
Surmenage et débordements 95
Illégitime, sans reconnaissance :
l'enfant abandonné 97

9. **Une peau sans protection** 101
Sommeil troublé, l'enfant non protégé 103
Contact rompu, identité floue 106
Peau meurtrie, âme blessée 109

10. **Ces émotions que nous réprimons** 113
Le prénom oublié 115
L'enfant sauveteur 119
Le parent triste 122

11. **Les déchirures de l'être** 125
La « zone morte » en soi 127
La peur des mauvaises surprises 130
Porter la souffrance des autres 132

12. **Emprises et contraintes mentales** 137
Fausses excuses et faux-semblants 138

L'horreur du corps réel 142
L'envie destructrice 145

Troisième partie
Bien vivre sa sensibilité

13. Ni gérer, ni subir : vivre nos émotions 151
La sensibilité, organe de la perception 153
Accueillir les phénomènes 157
Percevoir pour concevoir 161

14. Accueillir la complexité 167
Ne pas vivre par peur de mourir 168
L'art de l'intuition 171
La sensibilité est bonne conseillère 173

15. Guérir de la susceptibilité 175
Donner de l'espace à sa douleur 176
Quitter le temps de l'urgence 178
Aimer et vivre plus fort 182

16. Aller au-delà des apparences 185
Changer de référentiel 186
Descendre du manège émotionnel 192
Le corps vécu 194

17. Retrouver perspective et profondeur 197
Souhaiter et favoriser la rencontre 197
Être humain, donc sensible 200

18. Habiter un lieu humain 203
Au centre de l'être 204
Créer et exprimer 206

Conclusion 209
Bibliographie 213
Index 217

Le Livre de Poche s'engage pour
l'environnement en réduisant
l'empreinte carbone de ses livres.
Celle de cet exemplaire est de :

500 g éq. CO$_2$
Rendez-vous sur
www.livredepoche-durable.fr

**PAPIER À BASE DE
FIBRES CERTIFIÉES**

Composition réalisée par PCA

Achevé d'imprimer en janvier 2018, en France sur Presse Offset par
Maury Imprimeur – 45330 Malesherbes
N° d'imprimeur : 224021
Dépôt légal 1re publication : janvier 2016
Édition 08 – janvier 2018
LIBRAIRIE GÉNÉRALE FRANÇAISE – 21, rue du Montparnasse – 75278 Paris Cedex 06

31/7688/0